BREVE HISTORIA DEL CONDÓN Y DE LOS MÉTODOS ANTICONCEPTIVOS

Breve Historia del condón y de los métodos anticonceptivos

Ana Martos

nowtilus

Colección: Breve Historia
www.brevehistoria.com

Título: Breve Historia del condón y de los métodos anticonceptivos
Autor: © Ana Martos

Copyright de la presente edición: © 2010 Ediciones Nowtilus, S.L.
Doña Juana I de Castilla 44, 3° C, 28027 Madrid
www.nowtilus.com

Diseño y realización de cubiertas: Universo Cultura y Ocio
Diseño del interior de la colección: JLTV

ISBN-13: 978-84-9763-783-1
Fecha de edición: febrero 2010

Printed in Spain
Imprime: Imprenta Fareso
Depósito legal: M. 778-2010

Pues no, Dorisa bella, no te espantes
que no es como en el título parece,
en la sustancia, esta obra es abominable.

Nicolás Fernández de Moratín,
El arte de las putas.

Índice

Prólogo 13

Capítulo 1:
De *homo erectus* a *homo eroticus* 17
    ¿Quién arará mi terreno húmedo? 20
    Parirás a tus hijos con dolor 23
    Moler el molino sin hacer pasar el agua 25
    Detente, Abraham 29
    La muerte del esperma 32
    Un protector para el pene real 35
    El discutible condón prehistórico 40

Capítulo 2:
De infanticida a espermicida 49
    Hijos de la fortuna 52
    Colóquese en la vulva de la mujer 55
    El método de los siete saltos 63
    Nunca daré un pesario para un aborto 66
    Las impúdicas profesionales 74
    Condones y diafragmas para ellas 76

Las bolas de oro de Casanova.................... 79
El condón de Tutankamón 82

Capítulo 3:
De cuestión privada a cuestión pública.............. 85
   Cuando el estado toma las riendas............ 86
   La doble moral romana............................ 93
   La controvertida legislación
   sobre el aborto... 97
   Otro punto de vista:
   religioso y filosófico 104
   Las execrables prácticas
   en contra de la naturaleza.......................... 109
   A la prima segunda, métesela a fondo 115
   El método de control por excelencia.......... 120
   La ruleta vaticana.................................... 123

Capítulo 4:
De concebir sin pecar a pecar sin concebir........ 129
   Cuando la sexualidad se secularizó............ 131
   El método de la Coca Cola........................ 135
   La revolución de las francesas 137
   Un testimonio muy valioso 143
   Ensayo sobre el principio
   de la población 147
   Los moralistas 150
   El caballito francés................................... 154
   La píldora y sus detractores 158
   Aquí no vendemos esas cosas 162

Capítulo 5:
De la gorra inglesa al condón invisible............. 167
   Materiales naturales
   y materiales nobles................................... 168
   Sexo con seso.. 169
   Las enfermedades que procura Venus........ 171
   El mal francés 174

Un abrigo contra el mal francés 185
Telaraña contra la enfermedad 188
La gorra inglesa 192
Mejor que nada 194
Las rebajas de Londres 197
Usar y tirar 198

Capítulo 6:
Muerte y resurrección del preservativo 205
El arte de engañar a la naturaleza 206
El inevitable progreso 210
Las octavillas diabólicas 215
El coito impuro 219
Preservarse de la gordura fatal 224
Pozos de pasión 227
Los mitos anticondón 229
Póngaselo antes de meterla 234
La muerte del condón 237
La peste del siglo xx 237
El condón ha resucitado.
Póntelo, pónselo 243
La chica de la maleta roja 245

Bibliografía 249

Prólogo

La historia del condón es, en parte, la historia de las enfermedades venéreas y, en parte, la historia de la contracepción y del control de la natalidad. Convendría, en principio, distinguir estos dos últimos conceptos.

El control de la natalidad existe desde el momento en que los estados, los pueblos o las familias comprendieron que excedían sus posibilidades de mantener a todos los hijos que nacían. El control de la natalidad pertenece, por ello, tanto al ámbito privado como al ámbito público. En el ámbito privado, cada familia o persona aplica un método según sus conocimientos, posibilidades o recursos. En el ámbito público, los estados se han ocupado de penalizar o premiar los nacimientos, según conviniera, mediante leyes, campañas de concienciación o recomendaciones.

Cada pueblo, cada familia o cada individuo ha utilizado un sistema para controlar la natalidad, es decir, para evitar que el número de hijos creciese

Una de las forma más atroces de controlar la natalidad fueron las matanzas de niños. Esto sirvió al mismo tiempo para aplacar la cólera de algún dios sanguinario o bien para obtener sus favores. Más adelante esta costumbre fue sustituida por los sacrificios de animales.

demasiado. Los métodos empleados van desde el aborto hasta los programas de abstención periódica en función de las etapas fértiles de la mujer. Se suelen utilizar distintos tipos de productos, tratamientos o adminículos con el fin de evitar que el esperma se deposite o se mantenga en el útero para, así, impedir que los óvulos maduros entren en contacto con espermatozoides vivos.

La contracepción impide el encuentro entre el óvulo y el espermatozoide, es decir, impide la concepción; la antinidación perturba el medio que habría de servir para alimentar al feto y, por tanto, le impide desarrollarse. Los modernos anovulatorios inhiben la ovulación o bloquean el cuello del útero. La píldora que se toma cuando se retrasa la menstruación, interrumpe la gestación, mientras que los métodos llamados «naturales» limitan las relaciones sexuales a los periodos de infertilidad.

Otro método de control de natalidad que no es en modo alguno contraceptivo es el infanticidio o el abandono de los hijos no queridos después de su nacimiento. Este, por desgracia, es un sistema que se viene empleando desde el principio de los tiempos y que, a pesar de todas las medidas contraceptivas e incluso abortivas existentes, continúa vigente en nuestros días.

1

De *homo erectus* a *homo eroticus*

Bien haya el inventor tan excelente
de un arte en todas formas eminente,
tan útil y gustoso. ¿Quién sería?
¡Qué elogios al saberlo yo le haría!
Mas, ¿cómo no percibe mi rudeza
que el autor solo fue Naturaleza?
En la ley natural no fue delito
ser los hombres más justos putañeros,
ni tuvo entonces tasa el apetito.

Nicolás Fernández de Moratín,
El arte de las putas.

En el reino animal, la sexualidad está sometida a los ciclos de fecundidad, porque las hembras solamente aceptan copular con los machos durante los periodos fértiles, los que se conocen habitualmente como «celo».

Lo mismo sucedió con la especie humana hasta que, hace entre treinta o cuarenta mil años, la hembra independizó su deseo sexual de sus ciclos fértiles y se acercó al macho incluso estando preñada, algo que ninguna otra hembra animal hubiera admitido. Este hecho se deduce de los cambios de comportamiento sexual que aparecen plasmados en las paredes de las cuevas habitadas por seres humanos a lo largo del Paleolítico Superior. En las imágenes más antiguas, la información gráfica de actividad sexual humana aparece siempre relacionada con la fecundación, mientras que, en los dibujos más tardíos, se aprecia que la sexualidad se relacionaba ya con el placer, la seducción y la exploración de objetos sexuales (Javier Angulo y Marcos García, *Diversidad y sentido de las representaciones masculinas fálicas paleolíticas en Europa occidental*).

Los resultados de esa emancipación fueron sin duda enriquecedores para la especie y subrayaron nuevas diferencias respecto a los demás animales, una de las cuales fue el nacimiento del erotismo, manifestaciones de la sexualidad que nada tenían que ver con lo genésico. Tengamos en cuenta que, para la biología, la sexualidad es el conjunto de actividades y hechos relacionados con la procreación. Sin embargo, el ser humano empezó a utilizar el placer sexual como moneda de intercambio y terminó por convertirlo en una forma de salvar el abismo que le separa del resto del universo y unirse simbólicamente con el mundo[1].

No obstante, al comprobar que, a diferencia de las hembras animales, la hembra humana continuaba sintiendo deseo sexual después de aparearse y de concebir, surgió un mito que ha venido pla-

---

[1] Algunas investigaciones actuales han detectado que también algunos monos evolucionados emplean el sexo como técnica de seducción para hacer las paces con la pareja después de una riña, como un acercamiento al comportamiento humano. Además, después de hacer las paces, estos monos no llegan a eyacular.

neando sobre la mayoría de los pueblos, que ha sobrevivido a la Edad de la Razón y que reaparece constantemente en nuestro tiempo, tanto en las culturas más conservadoras como en las más renovadoras: la desmesura del deseo de la mujer, la leyenda de la devoradora de hombres, de la mantis religiosa, de la vagina dentada.

En la Antigüedad, este mito aparece plasmado en figuras, relieves y tallas de diosas prehistóricas que son a la vez madres, amantes y devoradoras, como la diosa india Cali, que da la vida y la arrebata, o como las figuras precolombinas de muchas culturas de América que muestran diosas con una boca entre las piernas, dotada de dientes bien afilados, amenazadores y castrantes.

Para los humanos, la diosa se convirtió en el mito de la hembra demandante a la que ningún macho es capaz de satisfacer. Un mito que ha suscitado el temor ancestral del varón al sexo femenino, un sexo oculto, interno, oscuro y misterioso que, además, mana sangre[2]. Tan oscuro y misterioso como sus pensamientos e intenciones. Un temor que probablemente indujo un día al hombre a someter a la mujer y a convertirla en un ser inferior y oprimido, para mantener bajo control su temible voracidad sexual y su aún más temible astucia.

Mitos aparte, la adquisición de la conciencia, esa capacidad que permite al hombre saber intelectualmente que su destino es la muerte, determinó la principal diferencia respecto a los animales. Y la sexualidad marcó nuevos distanciamientos.

---

[2] El sexo de la hembra desapareció de la vista al erguirse el homínido sobre sus dos extremidades traseras, mientras que el del macho se hizo más visible.

¿Quién arará mi terreno húmedo?

Primero fueron los ritos de fertilidad, espectáculos sexuales y danzas rituales empapadas de erotismo que habían de atraer la fecundidad sobre los hombres, los animales y las tierras.

Los artistas o, probablemente, los chamanes, idearon numerosos símbolos femeninos cargados de poder genésico, figuras emblemáticas que en los siglos XIX y XX se llegaron a denominar «pornografía plástica de la prehistoria», sin comprender que aquellas manifestaciones artísticas eran precursoras del arte religioso. Vulvas ostentosas, pechos contundentes, vientres fecundos, caderas desmedidas, representaron la función maternal de la mujer, la madre, la diosa, el origen de la vida. Esto bien pudo proceder de un tiempo en que los hombres desconocían la relación entre el sexo y la generación y atribuían exclusivamente a la hembra la capacidad de procrear, como la tierra producía frutos silvestres sin necesidad de sembrarla.

La magia por analogía (o por simpatía) estableció una relación estrecha entre la sexualidad humana y la fertilidad de los animales o de la tierra, convirtiendo el ritual sexual en garantía de fecundidad y de éxito social. En todas las culturas, los adolescentes han celebrado siempre su llegada al mundo adulto, es decir, su capacidad para procrear, con distintos rituales que, al refinarse los pueblos, se convirtieron en ceremonias de presentación en sociedad, como la puesta de largo para las jóvenes (esos bailes de debutantes que todavía vemos en las películas) o las novatadas para los muchachos.

La invención de la agricultura hizo surgir la conexión entre el acto sexual y la fertilidad de la tierra y de los animales domésticos, una idea de la que participaron las comunidades agrícolas de todo el

Venus de Willendorf (c. 25 000-20 000 a.C.), hallada en
Willendorf en 1908. Este emblema de fecundidad se
conserva en el Museo de Historia Natural de Viena, Austria.

El poder femenino

Varios antropólogos de los siglos XIX y XX aseguraron haber encontrado tribus en Australia que desconocían la intervención masculina en la reproducción, atribuyendo la fecundación a espíritus que se introducían en el útero de la mujer. Hay estudiosos que opinan que estas mismas creencias determinaron hace miles de años la preponderancia de la mujer sobre el hombre en los pueblos primitivos constituidos como matriarcados. Otros señalan que fueron los pastores quienes observaron por primera vez la relación entre la cópula y la fecundación de los ganados y comprendieron la trascendencia del papel del varón en la generación, dando lugar a las sociedades patriarcales. De hecho, algunas mitologías atribuyen a los pastores la victoria sobre las tribus de amazonas, mujeres guerreras y poderosas que han simbolizado el matriarcado.

mundo, celebrándose rituales de danzas y apareamientos litúrgicos que habían de promover la abundancia de frutos y de crías humanas y animales.

De la civilización sumeria nos ha llegado el texto más antiguo que recoge el simbolismo entre el acto sexual y la siembra. Es un himno procedente del tercer milenio antes de nuestra Era, en el que la diosa virgen y madre Inanna pregunta: «¿Quién arará mi vulva? ¿Quién arará mi terreno húmedo?» y el dios pastor Dumuzi responde: «Gran señora, yo araré tu vulva».

En Sumer, la gran sacerdotisa Inanna ejercía la prostitución sagrada copulando una vez al año con el rey, del que era esposa ritual, para materializar en la tierra los actos de los dioses en el cielo. Nos lo cuenta el himno que canta la Santa Boda entre la sacerdotisa Shubad, encarnación terrenal de Inanna, y el rey Mescalamdug, encarnación terrenal de Dumuzi, quien la conduce a la cámara sagrada para celebrar el rito que asegurará durante un año la fertilidad de las mujeres sumerias, de los animales y de las tierras.

PARIRÁS A TUS HIJOS CON DOLOR

Aquel cambio que se produjo en la hembra del homínido y que convirtió la receptividad sexual limitada propia de los animales en disponibilidad permanente propia del ser humano determinó la capacidad de la hembra humana para reproducirse en cualquier época del año. Y entonces tuvo lugar una nueva circunstancia que hasta ese momento no se había previsto. El exceso de población llegó a poner en peligro la subsistencia de los pueblos.

No obstante, el hecho de que la hembra humana fuera capaz de concebir a lo largo de todo el año no debió suponer por sí solo un exceso de población. Hay que tener en cuenta las elevadas tasas de mortalidad infantil, la costumbre de muchos pueblos de sacrificar niños a los dioses y, además, claro, la dificultad de la hembra humana para dar a luz.

Si observamos los mitos antiguos, podemos interpretar la maldición bíblica con la que el dios judío acompañó la expulsión del Paraíso: «parirás a tus hijos con dolor». Significa que cuando el ser humano se irguió, hace unos diez millones de años, sobre sus dos extremidades posteriores, la nueva postura dificultó el parto —a veces con resultado de muerte— porque, para mantener el equilibrio, el canal pélvico hubo de estrecharse. La selección natural se ocupó de favorecer a las hembras que parían crías prematuras o de pequeño tamaño, capaces de atravesar sin riesgo la estrechez de la pelvis.

Las hembras animales parían sin grandes dificultades y sus crías se independizaban rápidamente, pero las hembras humanas que conseguían dar a luz y mantenerse con vida, parían hijos inmaduros dependientes y necesitados de cuidados durante largo tiempo, lo que obligaba a las madres a dedicarles la atención que hubieran podido dedicar a la caza o a la recolección. Para subsistir, recabaron la protección del macho que debía proporcionarles alimento y amparo. Por fortuna, para entonces, ya las mujeres contaban con una poderosa moneda de cambio con la que pagar sobradamente los servicios masculinos: los favores sexuales continuados y el recién estrenado erotismo.

Para los machos aquello debió ser la vuelta al Paraíso. La hembra siempre en celo y siempre dispuesta a copular. Y, por si fuera poco, el coito frontal que permitía el encuentro social, el reconocimiento del rostro de la hembra que se ofrecía solícita y que expresaba el placer que los movimientos pélvicos masculinos le producían al estimular rítmicamente su clítoris. Una nueva distinción de las otras especies animales y un nuevo hallazgo de la sexualidad humana. El *homo erectus* se había convertido en *homo eroticus*.

MOLER EL MOLINO SIN HACER PASAR EL AGUA

Los aedos contaban que un día la Tierra se quejó con su hijo Zeus: «Me pesan mucho los hombres. ¿Por qué no promueves una guerra para que mueran unos cuantos?».

Llegó un día en el que fue necesario recurrir a nuevos medios para impedir el desbordamiento demográfico. Cuando ya ni las enfermedades, ni las migraciones, ni los sacrificios, ni las guerras consiguieron equilibrar el balance entre muertes y nacimientos, el hombre estableció una nueva diferencia con los animales: empezó a espaciar su reproducción.

Evitar la reproducción no siempre obedeció a la presión demográfica. Una de las primeras descripciones que conocemos de un método para eludir un coito fecundo aparece en la *Biblia* (*Génesis*, 38: 8-10), en el relato del matrimonio de Onán y Tamar y su finalidad nada tuvo que ver con los motivos que subyacen generalmente a la contracepción.

Tamar se casó con Er, hijo de Judá, pero quedó viuda antes de tener hijos. Dado que para un judío no hay cosa peor que morir sin descendientes, Judá obligó a su segundo hijo, Onán, a cumplir la ley del levirato, casándose con su cuñada y procreando hijos para el hermano muerto.

Pero Onán, sabiendo que los hijos que su mujer pariera no serían sus herederos, sino los de su hermano, derramaba su simiente en la tierra, es decir, practicaba el coito interrumpido. Y Dios castigó con la muerte su desobediencia a la ley del levirato.

Dos veces viuda y sin hijos, Tamar se vio abocada a esperar largos años hasta que el menor de sus cuñados, Selá, tuviese edad para desposarla. Temió que aquel matrimonio nunca tuviera lugar o

Judá y Tamar,
por Jean Horace Vernet.
Tamar no consiguió
hijos de ninguno de sus
dos esposos y se vio
obligada a engañar a su
suegro, disfrazandose
de prostituta, para tener
descendencia.

que ella perdiera la fertilidad antes de volverse a casar y tomó una decisión valiente y definitiva. Se disfrazó de prostituta y sedujo a su suegro Judá, con el que tuvo finalmente dos hijos gemelos, Farés y Zara.

El coito interrumpido fue, sin duda, el primer método empleado para evitar la concepción. No precisa instrumentos ni pócimas ni lavatorios y, además, se le puede ocurrir al más ignorante, como dice Alfred Savuy.

Sin embargo, no se encuentran demasiadas referencias exceptuando la historia de Onán y algunas otras, como un poema de Arquiloco de Paros que, en el siglo VII a. C., cuenta que sedujo a la hermana menor de su prometida y que «se dejó ir con todo su vigor sobre ella, aunque apenas rozando su vello castaño».

Un historiador francés que vivió a caballo entre los siglos XVI y XVII, Pierre de Brantôme, explica las muchas trampas que realizaban las damas de la corte

COITUS INTERRUPTUS

El coito interrumpido sigue siendo uno de los métodos más utilizados en nuestro país, a pesar de la abundancia de información sexual disponible. La revista médica Jano publicó el 18 de septiembre de 2008 el resultado de un estudio de salud e higiene íntima realizado por la Sociedad Española de Ginecología y Obstetricia, según el cual, cuatro de cada diez españolas entre 15 y 50 años no utiliza método anticonceptivo alguno en sus relaciones sexuales y un 21 % usa el coito interrumpido habitualmente, porcentaje que se eleva hasta el 33 % entre las adolescentes. El coito interrumpido es el tercer método más empleado por las españolas, después del preservativo masculino (44 %) y de la píldora (35 %).

de los Valois para «evitar el escándalo» y cuenta que muchas mujeres engañaban a sus maridos y consentían en tener hijos de sus amantes, mientras que otras se les entregaban sin quedar embarazadas de ellos para no engañar al marido con hijos de otro, porque estaban convencidas de que no le ponían los cuernos «si el rocío no les entraba dentro».

Cuenta Alfred Savuy que los corsarios apresaron en cierta ocasión al caballero Sanzay de Bretaña y lo vendieron como esclavo a un clérigo de la mezquita de Argel. Recreando la historia bíblica de José y la mujer de Putifar, parece que la esposa del clérigo musulmán se enamoró del caballero francés y se acostó con él con la condición de que no permitiera que una sola gota de su semen cristiano contaminara su cuerpo, porque eso ofendería al Profeta. Y dicen que él obedeció y que «molía en el molino de su dama sin hacer pasar el agua.»

Cierto es que tampoco parece muy necesario elaborar textos explícitos sobre el empleo de este método tan común, ya que es sobradamente conocido y, además, salvo manifestaciones de índole poética o mística, es una actividad que permanece en la intimidad más oscura de la pareja, sin intervención de terceros y sin que trascienda al exterior, al contrario que los otros dos métodos de control de natalidad más utilizados en la historia antigua: el aborto, del que hablaremos más adelante, y el infanticidio, muy anterior.

La literatura sexual de la antigua China aporta detalles sobre el coito interrumpido y la retención seminal como una gimnasia terapéutica para controlar la propia actividad sexual. Señala que el semen es el tesoro más preciado del hombre y que su emisión supone una pérdida que solamente se contrarresta con la recepción de una cantidad equivalente de semen femenino. Por tanto, el hombre ha de satisfacer completamente a su mujer en el coito aunque él no debe permitirse eyacular más que en ciertas ocasiones.

En Occidente, al creer que la mujer era fértil todo el año, los hombres tuvieron que esmerarse por aprender a evitar eyacular dentro de la vagina para prevenir embarazos no deseados. Es probable que, al menos en el ámbito en que se produjo aquel gran movimiento del amor cortés, los hombres se aplicaran a retener la eyaculación hasta que la mujer hubiera experimentado el orgasmo.

No es nada nuevo, por tanto, la técnica que muchos hombres de hoy han aprendido para controlar su eyaculación y «esperar» a que la pareja haya llegado no solamente a un orgasmo, sino, en muchos casos, a tres o cuatro si la mujer es multiorgásmica.

DETENTE, ABRAHAM

Según la *Historia Universal de la Medicina* dirigida por Laín Entralgo, no hay indicio positivo alguno de aborto o infanticidio en la Prehistoria. Las matanzas rituales de niños aparecen en culturas complejas, durante el periodo predinástico egipcio y en América precolombina. Más tarde, las víctimas fueron reemplazadas por animales. El mismo Quetzalcóatl, la Serpiente Emplumada azteca, llegó a sufrir las burlas de los partidarios del sacrificio humano cuando sus seguidores decidieron sustituir a los niños por pájaros, mariposas o serpientes.

El pueblo hebreo, como todos los pueblos semitas, practicó el infanticidio hasta que el contacto con el ya entonces civilizado pueblo egipcio le llevó a reemplazar la bárbara costumbre de sacrificar el primogénito a los dioses por un sacrificio animal. Nos lo cuenta detalladamente el mito de Isaac, condenado a ser inmolado a los crueles dioses hebreos y salvado oportunamente por un nuevo dios más amable y comprensivo que aceptó un becerro en lugar del niño. No olvidemos que Abraham, padre de Isaac y protagonista del mito, procedía de Ur, en Caldea, lo que señala su origen semita. Un poema expresa el reemplazo de un dios sanguinario por otro bondadoso:

«Detente, detente, Abraham, no mates a tu hijo Isaac, que ya está mi Dios contento de tu buena voluntad.»

El dios sanguinario es el que demanda «Consá-grame todo primogénito, todo lo que abre el seno materno entre los hijos de Israel, tanto de hombres como de animales», (*Éxodo* 13) y el dios bondadoso es el que señala «Misericordia quiero y no sacrifi-cios», (*Oseas* 6.6). Entre estas dos frases bíblicas algo había sucedido evidentemente. Los dioses crue-les hebreos, Elhoim (que significa «dioses» en plural), se habían convertido en un solo dios más bondadoso, Yahvé o Jehová (que ya es un nombre propio).

Otros mitos antiguos nos recuerdan la cos-tumbre de sacrificar niños para aplacar a dioses sanguinarios, como la historia de Ifigenia, ofre-cida por su padre Agamenón para propiciar los vientos que permitieran a las naves griegas partir hacia Troya; como Andrómeda, ofrecida por su madre Casiopea para pacificar a Neptuno irritado por su arrogancia; como la hija que Jephta que ofreció a Dios en sacrificio (*Jueces* 11, 30-39); como las matanzas de niños egipcios que llevó a cabo el ángel del dios hebreo para mostrar al faraón su poder brutal; o como la famosa leyenda de la matanza de los Inocentes ordenada por el rey Herodes. Son mitos que recrean las hecatom-bes de niños de algunos pueblos primitivos y que aparecen solamente en obras de carácter reli-gioso, sin nombre de autor ni datos históricos contrastables[3], que se solían atribuir a personajes antiguos, venerables o relevantes, para darles más importancia.

---

[3] Ningún texto egipcio respalda la historia de Moisés. Ningún texto romano ni hebreo respalda la matanza de los Inocentes, aun siendo Herodes un rey odiado por el pueblo hebreo, que lo consideró títere de Roma.

Andrómeda, de John Edward Poynter. El mito de
Andrómeda, como el de Ifigenia, el de Jephta o el de
Isaac, cuenta la costumbre que tenían algunos
pueblos antiguos que consistía en sacrificar para sus
dioses a los niños más hermosos o
a los pertenecientes a las familias más encumbradas.

Las matanzas rituales de niños del sexo no deseado, ya fueran varones o hembras, no solamente sirvieron para controlar el exceso de población o aplacar la cólera de los dioses, sino que determinaron en un tiempo la constitución de sociedades basadas en la poliandria (una mujer con varios esposos) o en la poliginia (un hombre con varias esposas), cuando se daba, respectivamente, un exceso de varones para cada mujer o un exceso de mujeres para cada varón.

Seguramente se trata de una broma de mal gusto, pero Giacomo Casanova cuenta que asistió a la bendición del río Neva en San Petersburgo, durante la fiesta de la Epifanía, un 6 de enero en que, como es natural, el agua estaba cubierta por una gruesa capa de hielo. Tras bendecir las aguas, el pope bautizó a varios niños y, como allí se mantiene el rito original del bautismo por inmersión, fue sumergiendo a las criaturas en el agua helada, a través de un gran agujero practicado a ese efecto. La mala fortuna hizo que uno de los niños se le escurriera de las manos y se perdiera en la oscuridad de las aguas. Y dice Casanova que el pope, sin inmutarse, gritó: «¡Dadme otro!» y que los padres, en lugar de espantarse, rieron felices, convencidos de que su hijo había ido a parar directamente al cielo. Al mismo cielo, suponemos, al que creían los antiguos que iban a parar los niños que sacrificaban a sus dioses.

LA MUERTE DEL ESPERMA

El método anticonceptivo que más se ha descrito en la Historia es, sin duda alguna, el empleo de espermicidas, es decir, de sustancias capaces de dar muerte al licor fecundante que emite el varón y que, para los antiguos, era una gota del cerebro. En su obra *Timeo*, Platón escribió que el semen tiene alma (*pneuma*) que respira y que anhela salir al exterior para generar nueva vida.

Una vez conocido por todos el papel que desempeña en la concepción el esperma masculino[4], el método contraceptivo más explicado fue impedir el acceso del semen al útero, expulsándolo, bloqueando su entrada o acabando con su vida, como indican las «recetas para matar el esperma», empleadas por los egipcios y que Aristóteles describió ya en el siglo IV a. C., en su obra *Historia de los animales*. En ella relata que hay quienes evitan la concepción untando la zona del útero a la que llega el esperma con aceites de cedro o de oliva, mezclado con incienso o con ungüento de plomo.

La ley judía autoriza la prevención de nacimientos y por ello los textos hebreos mencionan esponjas espermicidas y citan la práctica del coito interrumpido. En la India, en China y en Japón parece que se utilizaron tampones espermicidas empapados en sal, miel y aceite. En la India, se recomendaba untar la vagina con una pasta formada por aceite y sal gema. También el *Ananga Ranga*, texto sánscrito del siglo VI, describe brebajes esterilizantes o abortivos mezclados con rituales mágicos.

El Islam tampoco prohíbe la anticoncepción y así podemos encontrar en textos musulmanes, como los tratados de *Medicina del Profeta* o de *Medicina islámica*, referencias al uso de óvulos y tampones espermicidas, con fórmulas personalizadas y secretas, que las comadronas insertaban en la matriz. Y cuenta Norman Himes que, ya a mediados del siglo XIX, hubo una

---

[4] Durante siglos, se creyó que también existía un esperma femenino. Véase mi libro *Historia medieval del sexo y del erotismo*, publicado por Nowtilus.

Las leyendas más conocidas que narran los sacrificios de primogénitos entre los pueblos antiguos son las matanzas de los niños egipcios a manos del dios hebreo y los Santos Inocentes a manos de Herodes.

comadrona en La Meca que establecía un contrato con sus clientas en el que se comprometía a devolverles el dinero si su método contraceptivo fallaba.

UN PROTECTOR PARA EL PENE REAL

Dicen que fue el rey Minos, el legendario monarca de Creta, quien, hacia el año 1200 a. C., utilizó por primera vez un preservativo fabricado con una vejiga de cabra o, según otros autores, con pulmones de pez[5]. Pero es preciso tener en cuenta que ni él ni ningún otro varón de la Antigüedad emplearon el condón para evitar embarazos, sino para protegerse de enfermedades infecciosas. Precisamente, el manuscrito que menciona el condón del rey Minos alude a una enfermedad venérea que el rey cretense contrajo tras mantener comercio carnal con cierta ramera. El citado preservativo llegó, por tanto, tarde, pero nos ha servido para saber que los condones se utilizaron como protectores para el pene. La evitación de embarazos no deseados recayó casi siempre sobre las mujeres que pronto aprendieron a controlar la natalidad con aquiescencia del hombre o sin ella.

Muchas de las enfermedades venéreas que hoy conocemos existen desde la Antigüedad, aunque no se haya conocido su verdadera causa y naturaleza hasta tiempo después, pero sí es cierto que muchos pueblos antiguos ya observaron que existe una relación causa-efecto entre el contacto sexual y ciertas enfermedades, como la gonorrea, que aparece en

---

[5] Existen algunas especies de peces que desarrollan pulmones para respirar fuera del agua, por ejemplo, en el lodo cuando el nivel del agua desciende.

En la *Divina Comedia*, Dante pintó al rey Minos como
encargado de señalar a los condenados el círculo infernal
en el que debían sufrir su condena. Tras escuchar
los pecados, Minos envolvía con su cola al pecador un
número de veces igual al número del círculo infernal que
debía ocupar.

numerosos tratados médicos griegos, egipcios y romanos.

Sin embargo, al ignorar la existencia de los virus y de las bacterias, en muchos casos fue imposible reconocer la relación entre el comercio carnal y la enfermedad, como sucede con el herpes genital, que desaparece en unas semanas sin dejar cicatriz, pero el virus permanece en el organismo afectado y puede volver a producir lesiones más tarde; o la sífilis, cuyos síntomas aparecen al cabo de varias semanas para desaparecer sin, aparentemente, dejar rastro, pero que vuelve con fuerza pasado cierto tiempo, con ulceraciones en cuyas secreciones puede observarse el microbio.

Tampoco se llegaron a asociar, como es lógico, los efectos posteriores de tales enfermedades sobre el organismo, como la esterilidad o las lesiones cerebrales, ni las malformaciones que pueden transmitirse al feto si la enferma está encinta, como la ceguera o la neumonía que pueden producir la gonococia y las clamidias o bien las lesiones del sistema nervioso central (incluso la muerte) que pueden causar el herpes genital o la sífilis. Por último, muchas de las enfermedades de transmisión sexual, incluso las que hoy siguen azotando al mundo, son totalmente asintomáticas, lo que las hace mucho más peligrosas, porque las complicaciones a largo plazo siempre son más graves.

Por ello, ha sido imposible detectar el origen sexual de numerosísimos casos de patologías sufridas, transmitidas o heredadas, que se imputaron a cualquier otra causa. Y, por tanto, los hombres se han protegido contra infecciones solamente en casos de clara amenaza y, además, el preservativo no ha estado siempre al alcance de todos, sino que su empleo se limitó a cierta élite que podía obtenerlo o fabricarlo.

El preservativo se utilizó como método anticonceptivo ya en nuestro tiempo o, probablemente, en el siglo XVIII. Aunque hay quien dice que el preservativo que el doctor Condom (o Cockburn) fabricó en el siglo XVII para el rey Carlos II «el Insaciable» tuvo también el objetivo de recortar el número de bastardos reales que proliferaban en la corte de los Estuardo en Inglaterra.

Se ha dicho que el nombre de «condón» en castellano o '*condom*' en inglés, procede del mencionado médico de Carlos II. No obstante, Gustave Witkowski, médico francés del siglo XIX, asegura que su nombre procede de la palabra latina «*condum*», que es el acusativo de *condis*, que procede del verbo «*condere*» que significa esconder, proteger. Y no solo se muestra este autor en contra de la procedencia del nombre del doctor Cockburn mal pronunciado, sino que afirma que es en Francia donde precisamente pronuncian *condom*, como nombre de un inventor que nunca existió.

Como siempre surge la controversia ante cualquier descubrimiento o invención, parece que hubo también en Francia un médico llamado Condom (Mme. de Sevigné menciona el nombre de M. Condom en algunas de las cartas que dirigió a su hija) a quien se le intentó atribuir la autoría del famoso profiláctico. De hecho, Condom es una ciudad francesa. Incluso hay quien menciona como etimología del condón al Coronel Cundum, perteneciente a la guardia real de Carlos II.

Sin embargo, no parece propio de aquellos momentos el que los países se disputasen la autoría del famoso profiláctico, sino que más bien debieron huir de ella porque, antes de que se emplease como anticonceptivo, lo que sucedió ya a finales del siglo XVIII, su única función fue proteger al

Carlos II Estuardo, el Rey Insaciable. Se dice que tuvo tantos bastardos que urgió a su médico, el doctor Condom, para que le fabricase un dispositivo que le evitara más hijos o, más probablemente, menos infecciones.

hombre del contagio de venéreas y, por tanto, siempre se asoció su uso a la prostitución y al libertinaje, de manera que cada país no solamente no trató de atribuirse el invento, sino que trató de atribuírselo al contrario. Así, en Francia, se le llamó gorra inglesa o capote inglés (Casanova citó su *redingote anglaise*), mientras que los ingleses lo llamaron capa francesa. Veremos que lo mismo sucedió con la sífilis, a la que cada país denominó con un nombre que la hacía oriunda de otro país contrario o enemigo.

La idea de prevenir un exceso de bastardos es discutible, porque Carlos II murió dejando numerosa descendencia ilegítima y ningún heredero legítimo. Además, un diccionario inglés publicado en Londres en 1781, titulado *Classical Dictionary of the Vulgar Tongue*, define el condón como la tripa de una oveja utilizada por los hombres en el coito para prevenir la infección venérea. No menciona en absoluto la contracepción.

El preservativo se consideró definitivamente un método de prevención contra el embarazo tan solo cuando ya, en el siglo XX, el uso de la penicilina disipó el fantasma de la infección venérea.

EL DISCUTIBLE CONDÓN PREHISTÓRICO

El 8 de septiembre de 1901, tres científicos franceses que examinaban un pequeño valle en el corazón del Périgord reconocieron una cueva que había descrito ya en 1894 otro investigador, Emile Rivière, y cuyo hallazgo supuso un hito en el conocimiento de la Prehistoria europea, la cueva de Les Combarelles, situada en Les Eyzies de Tayac.

Hasta 291 dibujos contabilizaron los científicos, repartidos en 105 conjuntos. A partir de los indicios existentes, los habitantes de la gruta fueron identificados como hombres de Cromañón. En 1973 se realizó la datación de los restos animales encontrados en la cueva y el método del Carbono 14 arrojó la fecha: entre 13680 y 11380 años de antigüedad.

Sin embargo, los 291 dibujos se quedaron en nada cuando los investigadores avanzaron hacia el interior de la cueva. Les Combarelles guardaba un inmenso tesoro que se salvó de milagro a través de los siglos, a pesar de las infiltraciones y las agresiones climáticas: sus paredes mostraban pinturas monocromas de caballos, renos, leones, osos, bisontes, mamuts y figuras antropomorfas estilizadas, típicas de la cultura del periodo Magdaleniense reciente medio (fuente: www.hominides.com).

Pero el dibujo que nos interesa es el de un hombre que parece a punto de realizar el coito y que, según algunos estudiosos, lleva en el pene algo similar a un preservativo. Esto dio lugar a numerosas interpretaciones. El hecho de que un hombre prehistórico utilizara un preservativo resultó un hallazgo memorable, una bomba antropológica. Sin embargo, pronto surgió la controversia, porque lo que para algunos era, sin duda, la primera evidencia de la utilización de un condón, para otros se trataba de una representación más de un ritual de fecundación, interpretada subjetivamente.

En las *Actas urológicas españolas* de marzo de 2006 (Marcos García Díez y Javier Angulo, 30 [3]: 254-267), podemos leer la descripción y el análisis de diversas escenas sexuales protagonizadas por figuras antropomorfas, halladas en diferentes yacimientos prehistóricos, entre ellas, las dibujadas en la pared de la cueva de Les Combarelles y otras grutas, como La Marche y Los Casares, en muchas

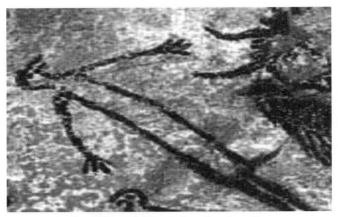

El posible condón de Les Combarelles.

de las cuales pueden apreciarse actitudes de masturbación, coito, precoito, eyaculación e incluso bestialismo.

Pero, en lo que respecta al famoso condón de Les Combarelles, diversos expertos señalan el hecho de que las pinturas realizadas en las cuevas por los hombres prehistóricos ni eran pura decoración ni respondían a momentos de ocio, sino que tenían un significado místico, relacionado con los ritos de fertilidad o caza. Por ejemplo, una escena que representase a un ciervo podía muy bien atraer animales de esa especie y propiciar su caza. Una escena que representase un coito podía favorecer la fertilidad de la tribu y de la tierra, como hemos mencionado en el poema sumerio de Inanna. Este tipo de representaciones basadas en la magia por analogía se han venido reflejando a través de la Historia en las figuras votivas de numerosas religiones, exvotos con forma de órganos humanos, ofreci-

Figuras antropomorfas en actitudes sexuales.

dos a la divinidad, solicitando o agradeciendo una curación.

Uno de los indicios más claros del contenido místico de las pinturas es la nitidez con la que se representan las figuras de animales frente a la imprecisión con la que se dibujaron las figuras humanas, probablemente por temor al poder espiritual de las imágenes. Es lógico pensar, como opina Shahrukh Husain, que las paredes de las cuevas paleolíticas fueron las precursoras y equivalentes prehistóricos de los libros sagrados. Por tanto, sus autores no fueron artistas, sino probablemente chamanes o jefes religiosos. Apunta también este autor hacia otra posible simbología y es que, el hecho de que las pinturas más espectaculares del Paleolítico se hallen en los lugares más escondidos, podría significar que aquellas cuevas casi inaccesibles representaron el útero de la tierra, del que nace todo ser viviente.

Por tanto, la descripción de la figura humana de Les Combarelles procediendo a la cópula con el

Un condón utilizado actualmente como fetiche en rituales
eróticos sin ningún valor profiláctico ni contraceptivo. Ese
pudiera ser el empleo del posible condón de Combarelles.

pene protegido por un preservativo, no deja de ser una interpretación más o menos caprichosa o, cuando menos, subjetiva. Aun cuando realmente se trate de una funda que envuelve el pene del hombre dibujado, nada puede asegurar que se trate de un preservativo, es decir, de una medida de protección. Bien puede tratarse de un ornamento ritual.

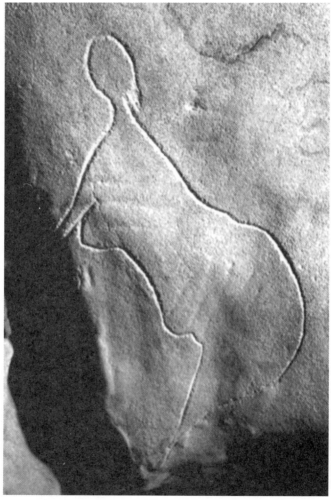

Figura femenina de la cueva de Cussac. Obsérvese la
vaguedad e inexactitud del dibujo.

Figura de bisonte de la cueva de Altamira.

2

De infanticida a espermicida

No hay bien alguno que en el mundo venza
el bien de gozar uno su querida;
por eso cosa no hay más perseguida
de la envidia de esotros: y el recelo
de ser de los demás interrumpido
fue el origen de hacerlo en lo escondido,
que no porque ello fuese vergonzoso.

Nicolás Fernández de Moratín,
El arte de las putas.

Hace cinco mil años que fue inventada la escritura por los fenicios. Esto, para los antiguos, supuso la posibilidad de transmitir e intercambiar conocimientos y, para nosotros, la seguridad de saber cuándo y cómo sucedieron muchas cosas.

En los tiempos remotos en que un posible chamán plasmó visiones místicas, alegorías o exvotos en las paredes de las cuevas, no existía la escritura y por ello ha sido preciso interpretar las imágenes desde uno u otro punto de vista, de la misma forma que se interpretaron los textos antiguos hasta que el hallazgo memorable de la piedra Rosetta arrojó un haz de luz sobre los escritos descifrados.

Sin embargo, desde que se inventó la escritura, existió la posibilidad de registrar los conocimientos

La escritura permitió a los pueblos antiguos dejar constancia de sus conocimientos. Aquí aparece el instrumental médico del antiguo Egipto en la pared del templo de Kom-Ombo.

y darlos a conocer a quien fuera capaz de leer. Así se han encontrado anotaciones que describen las prácticas anticonceptivas más antiguas y los métodos empleados para proteger al hombre de infecciones y enfermedades venéreas.

Por ejemplo, el versículo 16 del capítulo III del *Libro de Job* menciona el aborto, como también lo cita el versículo 12 del capítulo XII de *Números*. Lo menciona como una desgracia acaecida. Pero también sabemos que el aborto y, aún más, el infanticidio y el abandono de los hijos no queridos fueron comunes en la Antigüedad, bien para eliminar el exceso de población, bien para excluir a los débiles o malformados o bien para exterminar a los del sexo no querido.

Los germanos y los escitas utilizaban una prueba contundente para determinar si los hijos recién nacidos serían aptos para la dura vida que les esperaba. Los sumergían en agua helada. Los que sobrevivían, pasaban a formar parte de la tribu. Los romanos, un pueblo contradictorio en cuyas costumbres convivían el puritanismo y la crueldad, criticaron aquella forma bárbara de poner a prueba la robustez de la prole y, sin embargo, Séneca mismo cuenta que en Roma era habitual ahogar a los recién nacidos débiles o anormales, es decir, suprimir la progenie degenerada. Platón recomendó el aborto a las mujeres mayores de 40 años por el mismo motivo.

Entre los griegos, la forma habitual de deshacerse de los hijos no queridos era el infanticidio, el abandono o lo que se ha llamado «la exposición», que consistía en exponer al recién nacido en algún lugar en el que pudiera recogerlo algún viandante. Algo similar a lo que han hecho en Europa muchas madres solteras o desesperadas, exponiendo a sus hijos en el torno de un convento o a la puerta de una casa rica. Fue precisamente en el siglo IV cuando se divulgó la costumbre de exponer a los hijos no queridos a la puerta de una iglesia, después de que Constantino el Grande dictara pena de muerte para los infanticidas y censurase la exposición de los niños, porque los ponía en peligro de muerte (él, que cometió tantos asesinatos dentro de su propia familia). En el siglo IX, Carlomagno impulsó la creación de asilos para educar cristianamente a los niños abandonados.

En Atenas, era el padre quien podía decidir la suerte de los hijos, aceptándolos para su crianza o decidiendo su muerte o abandono. Sin embargo, en Esparta, el Consejo de Ancianos era el órgano decisorio, pues a él pertenecían todos los niños que nacieran, ya que su destino era pertenecer el ejército. Los de constitución débil, toda vez que no podían ser guerreros, sufrían una terrible muerte, pues el Consejo ordenaba lanzarlos a un barranco. Tebas llegó a condenar a muerte a quienes cometieran infanticidio. Sin embargo, la legislación permitía vender a los hijos si los padres carecían de medios para criarlos.

En *Las fronteras de la Medicina*, José Manuel Reverte cuenta los terribles métodos que se llevaban a cabo en sociedades primitivas para eliminar a los hijos que no cumplían los requisitos necesarios para la vida. Por ejemplo, en Panamá, los indios cuna mataban inmediatamente a los niños albinos, enterrándolos vivos o administrándoles un veneno, porque la falta de pigmentación de la piel los hacía inútiles para el trabajo. En Australia, si nacían mellizos, cuenta este mismo autor que algunas tribus acostumbraban sacrificar a uno de los dos, pero el ritual del sacrificio era, a nuestros ojos, sumamente cruel, porque el padre lo tomaba por los pies y lo estrellaba contra una piedra, procediendo posteriormente a comer su cuerpo.

HIJOS DE LA FORTUNA

Una vez más son los mitos los encargados de ilustrar cómo se deshacían los antiguos de los hijos no deseados. Matándolos o abandonándolos. Edipo y Blancanieves salvan la vida merced a la clemencia del esbirro encargado de darles muerte. Rómulo y Remo, Zeus y Tarzán son salvados y amamantados por animales compasivos.

Pero no solamente conocemos tales costumbres por los mitos. Aristóteles comentó que si se penara el abandono de hijos no deseados, las mujeres emplearían el aborto con mayor frecuencia. Los griegos abandonaban a los niños en lugares en los que pudieran ser recogidos por quienes deseaban tener descendencia sin conseguirlo. El mito de Edipo nos cuenta que fue abandonado por el criado a quien se había encomendado su asesinato. Lo recogió un pastor de Corinto y lo llevó ante Polibio, su rey, quien acogió al niño abandonado como a un hijo de la Fortuna, pues no había conseguido tener hijos propios y el trono de Corinto carecía de heredero. Parece que los pueblos de Mesopotamia abandonaban a los suyos en una canastilla embreada y los lanzaban al río, como sucedió con Moisés, otro héroe adoptado como hijo de la Fortuna por una princesa egipcia, mítica, sin duda, puesto que el autor de la historia no indica su nombre ni tampoco el del famoso faraón que después se convirtió en enemigo y fue vencido por el héroe. También Sargón fue expuesto en un cesto, recogido y criado por un extraño y convertido, de adulto, en el primer rey de Akad.

Según algunos autores, los lugares preferidos por los griegos para exponer a los niños no queridos eran las encrucijadas de caminos o los templos, donde había mayores posibilidades de que fueran recogidos por alguien que se ocupara de criarlos. Pero la realidad suele ser más desagradable que la leyenda. Los niños de la vida real no tenían la suerte de caer en manos de reyes o princesas, sino que eran generalmente recogidos por proxenetas que los dedicaban a la prostitución o por otros individuos igualmente carentes de escrúpulos que solían venderlos como esclavos.

No hace falta remontarse demasiado tiempo atrás para encontrar ejemplos de tales conductas. Una escena de *Oliver Twist*, el pequeño héroe de Dickens, salido del hospicio, muestra al niño de la mano de un mercader que lo vende por siete guineas.

Sin embargo, parece que las mujeres romanas no se complicaban la vida buscando un lugar adecuado en el que abandonar a los hijos no deseados. Se limitaban a arrojarlos a un basurero donde, si no tenían la suerte de ser recogidos a tiempo, solían

El mito del nacimiento del héroe se cumple en personajes
legendarios como Moisés o Edipo, abandonados y recogidos
por un personaje poderoso. Por desgracia, la inmensa
mayoría de los numerosos niños abandonados no tuvieron esa
oportunidad, sino que cayeron en manos de proxenetas o
esclavistas, cuando no perecieron devorados
por las alimañas.

servir de alimento a los perros vagabundos o a las ratas.

Vendidos como esclavos, abandonados o devorados por las alimañas, los hijos no deseados de la Antigüedad tenían un destino mucho más triste que el que narran las leyendas y los mitos. No obstante, los egipcios, que eran un pueblo mucho más avanzado que los griegos y los romanos, criticaban semejantes costumbres que consideraban propias de gentes atrasadas y bárbaras y empleaban métodos anticonceptivos o abortivos para evitar embarazos inoportunos o limitar el número de descendientes.

Tampoco parece que hayan cambiado mucho las cosas en los miles de años transcurridos desde lo que llamamos Antigüedad. En el siglo XIV, se crearon en Francia y en Toscana casas de acogida para niños abandonados, con el fin de evitar infanticidios. En el siglo XVIII, todavía se abandonaban en París alrededor de 4.000 niños al año, la mayoría de ellos, ilegítimos. En nuestros días, seguimos conociendo noticias de recién nacidos abandonados en lugares propicios para su recuperación, como portales de barrios prósperos o tornos de conventos, otros que van a parar a contenedores de basura y otros que se crían para su desgracia, para emplearlos después en la prostitución o en la esclavitud.

COLÓQUESE EN LA VULVA DE LA MUJER

Hace muchos siglos que se descubrió la existencia del esperma y su función clave en la fecundación. Pero, también, hace mucho tiempo que se descubrió su vulnerabilidad frente a métodos y sustancias capaces no solamente de detener su avance y su implantación en el interior del útero, sino capaces de debilitarlo para impedirle cumplir su cometido o, incluso, de aniquilarlo.

Los primeros textos que se encontraron referentes a métodos espermicidas aparecieron en 1889, en los papiros egipcios de Kahun procedentes de la XII dinastía, datados aproximadamente en el año 1850 a. C. En ellos se recomienda introducir bolas de excremento de cocodrilo y miel en la vagina, antes de la cópula, para evitar el embarazo.

A primera vista da la impresión de tratarse de una superstición o de una práctica para ahuyentar espíritus malignos, pero los textos egipcios contenidos en otros papiros describen tratamientos rigurosamente científicos para enfermedades pulmonares, mediante inhalaciones; para la tuberculosis, mediante sobrealimentación; para el hígado, con una dieta vegetariana; para el estómago y los intestinos con purgas, lavativas y aceite de ricino. Hay tratamientos para las enfermedades de la mujer, métodos para elaborar tampones para la menstruación, tratados de cirugía ósea, diagnóstico del tétanos cefálico, curación de heridas, fracturas, forúnculos y abscesos, utilizando también desinfectantes. Esto indica que el saber médico en Egipto no era desdeñable.

No se trata, pues, de un emplasto mágico, sino de un verdadero espermicida. El excremento de cocodrilo es lo suficientemente ácido como para matar al esperma y se aplicaba mezclado con miel, porque la miel actúa como una barrera a la entrada del útero.

Otro documento datado hacia 1550 a. C., el *Papiro de Ebers*, describe la preparación de hilas de lino impregnadas en jugo de acacias fermentado. Una sustancia que libera ácido láctico que se empleaba, y parece que aún se sigue empleando, como espermicida. Si la receta del *Papiro de Petri*, de

1850 a. C., se puede considerar la descripción del primer pesario de la Historia[6], la del *Papiro de Ebers* sería el primer dispositivo de absorción: «Tritúrese con una medida de miel, humedézcase la hilaza con la mezcla y colóquese en la vulva de la mujer».

Además de estos recetarios, los papiros egipcios describen distintos espermicidas a base de carbonato sódico natural con miel, agua con vinagre, aceites y soluciones jabonosas y otros métodos anticonceptivos variados, como duchas vaginales a base de zumo de limón y extracto de vaina de caoba, o bien a base de cicuta y té verde, más el ya conocido coito interrumpido y otro menos conocido, el coito obstructivo, consistente en eyacular en el conducto urinario, concretamente en la depresión de la uretra.

Este último método parece complejo y necesitado de mucha práctica, pero es posible que las mujeres egipcias lo aprendieran y transmitieran su aprendizaje, de la misma forma que las mujeres galantes de todos los tiempos han sabido evitar el embarazo de diversas maneras, entre ellas, dirigir la eyaculación fuera del útero. Según cuenta Alfred Savuy, las cortesanas han tenido siempre una gran habilidad para no quedar encinta, con movimientos abdominales y maniobras que han llegado a constituir una forma distinta de placer. Por ejemplo, este autor cita una descripción de 1909, de un método al que Hans Ferdy denominó *coitus saxonicus*, según el cual las mujeres expertas sabían manipular el pene de manera que, en el momento anterior a la eyaculación, lo presionaban con la mano para dirigir el flujo seminal hacia atrás, derramándolo en la verija. Incluso menciona el autor que esta maniobra, a la larga, llegaba a producir infertilidad.

---

[6] Los pesarios eran drogas irritantes o productos ácidos con una base de aceite.

La medicina egipcia quedó plasmada en papiros médicos. Son las primeras descripciones escritas de métodos anticonceptivos.

Los textos egipcios también citan tampones para la menstruación fabricados con borra de lino y polvo de ramas de acacia, lo que más tarde se llamó goma arábiga, empleada como estabilizador en la fabricación de pinturas, caramelos y medicamentos. Otra forma de utilizar la acacia era mezclarla con miel y dátiles molidos, formando una pasta dulce y pegajosa con la que taponar el acceso del semen a la matriz.

Muchos pueblos nos han dejado recetas de espermicidas que las mujeres preparaban y se aplicaban, puesto que eran ellas las encargadas de controlar la natalidad y, al mismo tiempo, de conseguir su propio bienestar evitando el exceso de hijos. Así, además, las mujeres de alta cuna podían evitar embarazos no deseados procedentes, muchas veces, de relaciones extramatrimoniales.

Por otro lado, la necesidad de mantener la pureza de sangre real o de ascendencia divina condujo a las familias reales a la endogamia, con la consiguiente degeneración de la descendencia, algo que hubo probablemente que limitar mediante el control de natalidad. Los griegos y los romanos no se recataron de abogar por la eliminación de descendientes degenerados, pero ya hemos dicho que los egipcios fueron el pueblo más civilizado y progresista de la Antigüedad y entre sus costumbres no figuraban ni el infanticidio ni el abandono de niños y mucho menos el sacrificarlos a los dioses. Los dioses egipcios eran benévolos y comprensivos, al contrario que los crueles dioses semitas que exigían sacrificios humanos o las caprichosas divinidades griegas y romanas que jugaban a su antojo con la vida y la suerte de los hombres.

De otros pueblos de la Antigüedad nos han llegado recetarios y consejos para matar el espíritu del esperma o, lo que es lo mismo, su capacidad generativa. En Sumatra, las mujeres de algunas tribus empleaban —y probablemente continúan empleando— bolas de opio colocadas en la vagina. Todas las culturas de Asia, África y América han empleado hierbas y raíces espermicidas, así como irrigaciones y lavados vaginales después del coito. Todos los chamanes de todas las culturas de todos los tiempos han conocido hierbas y productos anticonceptivos.

Los persas conocían diferentes sustancias que podían actuar como espermicidas, como el yodo, la quinina o el alcohol y sus mujeres empapaban esponjas marinas en tales productos, que se introducían en la vagina antes del coito. Uno de los espermicidas más utilizados en Oriente parece que fue el vinagre perfumado mezclado con agua, empapando una esponja a poder ser, procedente de Siria, que fueron muy famosas por su gran capacidad de absorción.

El propio *Talmud* menciona el empleo de estas esponjas como método contraceptivo que los hebreos aprendieron de los egipcios. En el año 230, la *Toseptha* (una recopilación de tradiciones orales rabínicas no incluidas en la *Mishna*) hace referencia al uso de esponjas que deben emplear tres clases de mujeres: la menor, la embarazada y la lactante. La menor para no quedar encinta y morir, la embarazada para no dañar al feto y, la que amamanta, para no dañar al hijo.

También sabemos que las sacerdotisas que practicaban la prostitución sagrada en Mesopotamia se protegían con supositorios vaginales fabricados con miel, resina de abeto y semillas ácidas de celidonia. La prostitución sagrada se ejercía en honor de la diosa del templo a que la sacerdotisa estaba consagrada, aunque muchos autores coinciden en que servía para conseguir dinero para mantener la

En el Talmud se menciona el empleo de esponjas
empapadas con agua y vinagre como método
contraceptivo.

liturgia del templo. Fuera como fuese, el embarazo de una sacerdotisa hubiera sido imperdonable, por lo que era necesario protegerse con espermicidas.

Los espermicidas se desarrollaron a partir del siglo XVII, cuando la invención del microscopio permitió descubrir la existencia de los espermatozoides, unos seres minúsculos que nadaban en el semen agitando sus colas transparentes, y a los que su descubridor, el holandés Antonie van Leeuwenhoek, denominó «animálculos». Ya en el siglo XVIII, Lazzaro Spallanzani comprobó que el vinagre hacía disminuir el pH de una solución de esperma y, por tanto, le hacía perder eficacia. Como hemos visto, los antiguos conocían los efectos, aunque no las causas.

Conocemos el uso de tampones y esponjas espermicidas en la baja Edad Media por *Los cuentos de Canterbury* y también sabemos, por las *Sátiras* del escritor francés Maturin Règnier, que en el siglo XVI, al menos en Francia, las prostitutas utilizaban jeringuillas[7], esponjas y sondas. Tales son los utensilios que el autor que fue, además de poeta, genio de la sátira y sacerdote describe en la morada de una ramera llamada Jeanne, junto con varios artificios de belleza, botes con ungüentos y objetos que aparecen ante los ojos del visitante «sin buscarlos», como guantes desparejados, un saquito de polvos de mercurio y restos de todo tipo. En la prolija descripción de la cámara de Jeanne, llaman la atención los tres adminículos contraceptivos antes mencionados: la jeringuilla, una esponja y una sonda, («*la petite seringue, une esponge, une fonde*», Maturin Règnier, *Sátira XI*).

---

[7] Las jeringuillas se utilizaban para hacer abluciones con soluciones astringentes.

EL MÉTODO DE LOS SIETE SALTOS

Además de estos métodos para impedir la entrada del semen en el útero, para evitar su asentamiento o bien para matar su espíritu (el *pneuma* de Platón), hubo otros sin duda menos eficaces cuyo objeto era hacer salir el esperma al exterior después de haber sido eyaculado en el interior de la vagina. Si no eficaces, son, cuando menos, curiosos.

Por ejemplo, Sorano de Éfeso aconsejó a las mujeres contener la respiración en el momento en que el hombre eyaculase y retirar al mismo tiempo su cuerpo un poco hacia atrás, para evitar que el esperma penetrase en el útero. Este movimiento, que cuentan que empleaba la misma Aspasia de Mileto, tiene una doble lectura. En primer lugar, supone que la mujer no disfruta del orgasmo, pues si el hombre eyacula mientras ella se preocupa de tales actos, es evidente que tiene que estar tensa y preparada, a menos que el hombre haya aprendido a contenerse hasta que ella haya finalizado, como hemos dicho anteriormente. Pero, en todo caso, arroja sobre ella la responsabilidad de la fecundación, frente al coito interrumpido que responsabiliza al hombre. Puede que por ello Sorano lo recomendase tan solo en el caso de que el varón se despreocupara.

En segundo lugar, los conocimientos anatómicos femeninos antiguos dejaban mucho que desear, al suponer que esos gestos evitarían la entrada del semen en la matriz. Se suponía que el cuello de la matriz se cerraba herméticamente después de capturar el semen y, además que se movía arriba y abajo en el interior del cuerpo de la mujer junto con la respiración. De ahí que, cuando clamaba por recibir esperma y concebir, el útero ascendiera al pecho e impidiera la respiración, produciendo los llamados «sofocos» de los que las damas del siglo xix se libraban aspirando un frasquito de sales que, en realidad, contenía sustancias malolientes para expulsar al útero de la garganta y reenviarlo a su posición original.

Después del coito, la mujer debía levantarse inmediatamente, ponerse en cuclillas y provocarse estornudos para eliminar el semen que hubiera podido introducirse en su cuerpo. Podemos encontrar este tipo de consejos en recetarios griegos y romanos, por ejemplo, en los textos hipocráticos. Pero era imprescindible poner en marcha tales ejercicios inmediatamente después del coito, antes de que fuera demasiado tarde.

Uno de los textos del *Corpus Hippocraticum* (un conjunto de tratados escritos por los seguidores de la escuela médica de Hipócrates de Cos), llamado *De la naturaleza del niño*, explica la manera en la que el médico consiguió hacer abortar a una saltimbanqui a los seis días de haber quedado encinta y para la cual, la maternidad hubiera supuesto una pérdida de valor comercial.

Ella sabía que la concepción se lleva a cabo si el semen del hombre queda dentro del útero y siempre había conseguido expulsarlo, pero en aquella ocasión no había conseguido hacerlo salir y por ello decidió consultar con el médico. Este la mandó dar una serie de saltos, golpeándose las nalgas con los talones. Al séptimo golpe, el semen cayó al suelo con ruido. Observando lo expulsado, el médico vio que se trataba de una especie de huevo sin cáscara.

Es probable que se trate de un ejemplo o de una leyenda. Hipócrates ya señaló que las prostitutas eran expertas en reconocer cuándo habían concebido después del coito y sabían destruir inmediatamente la obra de su concepción, expulsándola bajo la forma de una masa carnosa. Es evidente que tras el coito no hay masa carnosa alguna a expulsar. Si la

Tanto las cortesanas como las sacerdotisas antiguas
que practicaban la prostitución sagrada sabían
protegerse contra embarazos inoportunos.

hay, es que ha pasado algún tiempo. Pero en aquella época se creía que el semen del hombre se unía al de la mujer dentro del útero y que, juntos, formaban una espuma con la sangre menstrual de la que después surgía el embrión.

En cuanto al número de saltos, siete, puede deberse a una asociación mágica. El número 7 tenía un valor místico en casi todas las culturas, por ser siete el número de los planetas entonces conocidos[8], siete los días de la semana, siete los colores del arco iris, etc. Recordemos las siete plagas de Egipto, los siete años de vacas flacas, los siete cuernos del cordero apocalíptico, los siete pecados capitales y las siete virtudes, las siete trompetas del fin del mundo y toda la mitología conocida en torno a ese número, incluyendo los siete enanos de Blancanieves, los siete velos de Salomé y los siete Niños de Écija.

NUNCA DARÉ UN PESARIO PARA UN ABORTO

Cada pueblo adoptó el método anticonceptivo que le convino, aparte del más común, el coito interrumpido. Cuenta Alfred Savuy que los indios de California utilizaban un liquen que les proporcionaba el hechicero, *lithosphermum ruderale*, con el que conseguían esterilizarse temporalmente durante los periodos de caza o de guerra. Otras culturas han practicado y continúan practicando la abstención sexual periódica, prohibiendo el coito mediante tabúes, como todavía en algunas culturas actuales existen los tabúes que prohíben las relaciones sexuales durante la menstruación o la cuarentena.

---

[8] El Sol, la Luna, Mercurio, Venus, Marte, Júpiter y Saturno.

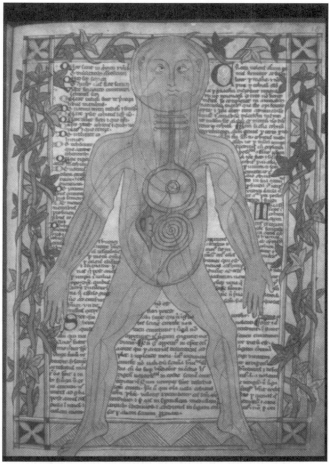

Los tratados antiguos de anatomía humana se basaban en estudios realizados sobre cadáveres de animales o cuerpos humanos ya momificados. Tanto las religiones como las filosofías antiguas prohibieron el estudio de cuerpos humanos para no vulnerar el respeto a los muertos.

Las mujeres chinas, por su parte, ingerían mercurio calentado en aceite con el fin de abortar. De abortar por envenenamiento, lo que suponemos que en numerosas ocasiones envenenó no solamente al embrión, sino a la madre. El primer anticonceptivo oral chino aparece descrito en una obra que menciona Guillermo Díaz Alonso en la *Revista Cubana de Medicina General Integral* de abril-junio de 1995. La receta consiste en preparar una píldora con mercurio frito en aceite. Al parecer, era preciso tomarla tan solo una vez en la vida, porque con una sola toma la mujer dejaba de ser fértil para siempre, suponemos que en el caso de sobrevivir.

Se puede considerar el primer anticonceptivo aplicado por vía oral, al menos el primer anticonceptivo lógico, no mágico, que también los hubo en abundancia. Por ejemplo, se cuenta de otro método contraceptivo oral consistente en ingerir veinticuatro renacuajos vivos al inicio de la estación primaveral. Al parecer, tal práctica suponía ser precursora de los actuales fármacos de liberación prolongada, porque los renacuajos debían esterilizar a la mujer durante cinco años.

Alfred Savuy cuenta los abusos y malos tratos a que fueron sometidas las obreras durante la Edad Media, pues era preciso que rindieran al máximo, no solamente como mano de obra barata, sino también como esclavas sexuales. Por ello, cuando quedaban embarazadas, las obligaban a abortar incluso a golpes, porque la vida de trabajo y sometimiento que llevaban no era compatible con la maternidad.

Más tarde, durante la industrialización, numerosas campesinas se trasladaron a las ciudades donde abundaba el trabajo en los talleres y fábricas, lo que favoreció la prostitución y el libertinaje, en muchos casos, obligatorio. El resultado fue un aumento de los hijos naturales en países como Francia, junto con un elevado índice de infanticidios.

En 1897, se vendían en Inglaterra productos abortivos con el nombre de Madame Douglas, pero las mujeres se sometían a baños calientes, ginebra y paseos agotadores antes que comprar píldoras abortivas. Otro abortivo utilizado en Inglaterra fue el plomo en forma de pastillas de diaquilón y, en Suecia y Alemania, cabezas de cerillas para beneficiarse de las propiedades abortivas del fósforo. Sin embargo, los campesinos continuaron empleando hierbas abortivas con recetas transmitidas oralmente de generación en generación. En muchas ciudades se produjeron preparados con hierbas y química y se construyó un arsenal de aparatos para abortar a base de jeringas e irrigadores.

Rara es la cultura en la que no se ha practicado el aborto. Muchas de ellas nos han dejado sus métodos y recetarios, incluso los griegos, a pesar de que el juramento hipocrático obliga a los médicos a renunciar a los abortivos: «Nunca daré un pesario a una mujer para practicarle el aborto».

Sin embargo, los propios textos hipocráticos aportan abundante información acerca de métodos abortivos a base de fumigaciones, supositorios vaginales o cataplasmas, así como sustancias fabricadas con plantas. Dioscórides, el más famoso farmacéutico de la Antigüedad, recogió numerosas recetas en su obra *De materia medica*, como el álamo cretense o el pepino silvestre, algunas de ellas encaminadas a inmovilizar el semen en el útero e impedirle cumplir su cometido. Para que el esperma resbalase y no se fijara en la matriz, las recetas que Dioscórides ofrece en su libro *De materia médica* consisten en aceite y goma de cedro. Después veremos que esta teoría de que el esperma «resbalase» sirvió en la Edad Media para explicar la infertilidad de las prostitutas.

Pero no se trata de una contradicción entre el juramento médico y las prácticas abortivas, sino de que, para los antiguos y más tarde durante toda la Edad Media y Moderna, el feto no recibía animación, es decir, alma, hasta pasado un determinado plazo que se alargaba hasta los cuarenta días si era un varón o incluso hasta los ochenta si era una niña. Por eso, las prácticas médicas abortivas se aplicaban exclusivamente antes de los cuarenta días de gestación.

El *Papiro de Ebers* recomienda para abortar un pesario de dátiles, cebollas y el fruto del acanto triturado con miel en un trozo de tela y aplicado a la vulva. Una receta que los médicos griegos recogieron junto con otras de índole similar, mucho menos agresivas que otros métodos abortivos consistentes en perforar el saco amniótico para extraer el feto, después de haber aplicado fumigaciones para ablandar el cuello de la matriz.

En general, los médicos preferían que las mujeres se protegieran con espermicidas u otros métodos antes de que practicasen el aborto, que siempre entrañaba peligro, a pesar de que algunos, como hemos visto, recetaron abortivos y es que dicen que la parte del juramento hipocrático que prohíbe a los médicos recetar abortivos fue un añadido posterior que realizaron los pitagóricos, una orden científico religiosa fundada por Pitágoras de Samos en el siglo VI a. C., que se dedicaba, desde la mística, al estudio de las matemáticas, la música y la medicina, además de guardar reglas monásticas. Antes de fundar su orden religiosa y científica, Pitágoras había viajado por Babilonia, Persia, China y Egipto y de allí trajo a Grecia grandes conocimientos científicos, así como la creencia en un solo dios y en la inmortalidad del alma.

El *Papiro de Ebers* recomienda para abortar un pesano de
dátiles, cebollas y el fruto del acanto triturado con miel en un
trozo de tela que debe aplicarse a la vulva.

Los pitagóricos no fueron considerados precisamente científicos por los médicos antiguos, sino más bien filósofos y es posible que por ello muchos médicos no se recatasen de recetar o aconsejar abortivos que ya hemos dicho que incluso aparecen en los escritos de Medicina. Además, en Grecia, el parto y todo lo que lo rodeaba, incluyendo el aborto, no era cosa de médicos, sino de parteras, de comadronas. Y no solamente el aborto, sino el infanticidio. Sorano de Éfeso señaló que era la comadrona la que debía examinar al niño y decidir si se podía criar o no. Comadronas y no comadrones. Sócrates, por ejemplo, fue hijo de una comadrona llamada Faenarete, y él mismo se declaró comadrona del saber (mayéutica), porque su método de enseñanza no consistía en enseñar sino en extraer el conocimiento que el alumno ya llevaba dentro.

El propio Platón, discípulo de Sócrates y encargado de escribir todo cuanto dijo el Maestro, menciona a Faenarete y asegura que solamente una comadrona es capaz de saber si una mujer está o no está embarazada, en qué grado, cuándo ha de llegar el parto y qué posibilidades hay de adelantarlo, de retrasarlo o de abortar. Según él, era conveniente mantener siempre el mismo número de ciudadanos, por claras razones matemáticas, y lo mismo recomendó Aristóteles, que era su discípulo. Es conveniente que la población permanezca estacionaria evitando la concepción y reglamentando la paternidad, que no debe sobrepasar la edad entre 30 y 35 años. En caso de que se produzca la concepción, hay que recurrir al aborto siempre antes de que el embrión tenga vida.

Los filósofos que frecuentaron la casa de Aspasia de Mileto, oradora famosa y abortista decidida en el siglo V a. C. y de la que aprendían el arte de argumentar, no condenaron el aborto. Para ellos, hay dos motivos que lo legitiman, uno es el temor a los dolores del parto y, el otro, el deseo de mantener el equilibrio de la población.

Es decir, para los griegos, el aborto estaba en manos de las mujeres, médicas, comadronas o ginecólogas, a pesar de que hubo médicos varones que escribieron al respecto. Fueron famosas Agnodice de Atenas y la citada Faenarete. De hecho, el primer libro que realmente se puede llamar de Ginecología, se tituló *Sobre las enfermedades de las mujeres* y lo escribió Sorano de Éfeso, ya en el siglo II, dedicado al público femenino, comadronas y ginecólogas, que precisaba conocer la problemática de la generación, el parto, la lactancia y todo lo que rodea el misterio de la vida. La obra de Sorano fue traducida en la Edad Media tanto al árabe como al hebreo y al latín, lo que propagó su saber, sus recomendaciones y sus recetarios por todo el mundo occidental. Existe otra obra dedicada también a temas femeninos dentro del *Corpus Hippocraticum.*

A partir del siglo XII, el tratado médico más famoso relacionado con la salud femenina y con todo lo relativo a la generación, fue el *Tratado de Trótula,* una obra procedente de la Escuela de Salerno, la escuela médica más conocida en la Edad Media, y que unos autores imputan a una comadrona de esa escuela, Trotta o Trótula de Ruggiero, y, otros, a uno o varios médicos que la publicaron bajo ese nombre. Más tarde, el *Tratado de Trótula* compartió fama con *Los secretos de las mujeres,* obra de Alberto Magno, que pudo obtener información de casadas, viudas y vírgenes por su doble estatus de médico y, además, de sacerdote y confesor. El libro *Los admirables secretos de Alberto Magno* incluye la mención de un objeto de hierro que las mujeres públicas se introducían en la vagina para no concebir y que llegaba a dañar el miembro viril.

Las impúdicas profesionales

Esa masa carnosa o esa especie de huevo sin cáscara que, según los textos hipocráticos, expulsaban las mujeres como fruto de su concepción, recibió el nombre de tapón en el ámbito de la prostitución. Las meretrices siempre han hecho lo posible por no concebir, como es lógico, pues la maternidad es una rémora en su profesión y la mayoría de los proxenetas las han obligado a abortar, incluso envenenándolas, como asegura Alfred Savuy.

En la alta Edad Media, que arrastró y multiplicó los errores médicos y anatómicos de la Antigüedad, se creyó que las prostitutas no podían concebir porque realizaban el acto carnal sin amor y, por tanto, no sentían placer, puesto que no eyaculaban. Ya hemos citado anteriormente la creencia, que llegó hasta el siglo XVIII, de que existía un esperma femenino que, según Hipócrates y Galeno, era imprescindible para la concepción.

Otra explicación sorprendente acerca de la infertilidad de las meretrices es la que ofreció Guillaume de Conches, según el cual, el útero femenino está revestido interiormente de pequeños vellos encargados de retener el esperma, pero, en el caso de las prostitutas, es tal la cantidad de semen acumulado, que estos vellos están encenagados y el semen resbala sobre la superficie que queda como el mármol.

Es de suponer que las prostitutas, además de los métodos contraceptivos, podían resultar estériles a causa de las numerosas enfermedades venéreas que debían padecer y que, de quedar encinta, se desharían inmediatamente del embrión, como señaló Hipócrates. Pero en la alta Edad Media, el coito se asociaba irremediablemente a la procreación y, por ello, los médicos y los filósofos especularon para justificar la esterilidad de las meretrices.

En prácticamente todas las épocas se ha permitido la prostitución para limitar el libertinaje. San Luis de Francia admitió oficialmente la existencia de casas de lenocinio precisamente por ese motivo y fue entonces cuando se llamaron «impúdicas profesionales».

Existe también un texto que atribuye a la famosa reina Juana de Nápoles —que, según se cuenta, tuvo muchos amantes— haber establecido en Aviñón un lugar específico para el libertinaje, en cuya normativa constaba que, si alguna de las mujeres quedaba preñada, debía de preocuparse de que nada le sucediera al niño. Según Alfred Savuy, este texto es apócrifo y no puede asegurarse la existencia del lupanar de Aviñón ni tampoco de su normativa.

En el siglo XVI surgieron numerosos poemas y textos que citan la preocupación de los proxenetas por conseguir anticonceptivos y abortivos para las rameras, citando recetas, compuestos, antídotos, bálsamos y utensilios «para el oficio», junto con ropas y maquillajes. Hemos citado anteriormente los versos de Maturin Règnier que describen los útiles de una prostituta del Mauvais Gite, cuya habitación visitó hacia el año 1600. Su poema *Discours d'une vielle masquerelle* (una Celestina), cita un aborto realizado con un bebedizo: «Un caballero de autoridad compró mi virginidad y, después, con una droga, mi madre, que se hacía la arrogante cuando de esto se hablaba, me volvió de nuevo virgen en tres días».

Un médico francés del Hospital de la Pitié, Parent Duchalet, escribió en su libro *La prostitución de la ciudad de París*, publicado a principios del siglo XIX, que las prostitutas, cuando notaban el retraso en la menstruación, conseguían expulsar lo que ellas llamaban «el tapón».

También Pierre de Brantôme menciona «el tapón», relatando la costumbre de una sirvienta que visitaba a ciertos expertos que le proporcionaban drogas para no quedar preñada y que, en el caso de quedar embarazadas, hacían «salir el tapón». Cuenta el caso de una de las damas de la reina Margarita de Navarra que quedó embarazada por un descuido, cuando pensaba contraer matrimonio con cierto caballero. Esta dama acudió a ver a un farmacéutico (el experto) que le dio un bebedizo para abortar, con lo cual el feto, que ya contaba seis meses de edad, salió pedazo a pedazo sin dolor para la madre. Después del asunto, se casó con su caballero sin que él advirtiese nada. Esto último nos señala la habilidad de las comadronas para rehacer virgos, como relata sin pudor el texto de *La lozana andaluza* y se puede leer en *La Celestina*, pero lo que ya no resulta creíble es la expulsión de un feto de seis meses mediante una pócima, en pedazos y sin dolor ni secuelas.

Condones y diafragmas para ellas

Actualmente también existen condones femeninos, a manera de forros de poliuretano que cubren los genitales externos y protegen de infecciones, incluido el VIH, al mismo tiempo que impiden el acceso del semen al interior del útero. No son muy populares. Según publicó *La Jornada*, de Méjico, en 2005, por cada condón femenino que se vende, se expende un millar de preservativos masculinos.

El condón es, como hemos dicho, un objeto conocido en la Antigüedad y empleado como protección para el pene de un personaje importante, ya fuera contra el contagio de enfermedades transmitidas por contacto sexual o bien, como citan algunos autores, contra la picadura de insectos durante el baño. Sin embargo, en aquel tiempo a nadie se le ocurrió proteger a las mujeres de posibles infecciones venéreas, sino solamente inventar dispositivos que evitaran el embarazo o que causaran la muerte o la expulsión prematura del feto, como hemos visto.

Precursores de los condones femeninos bien pudieran ser los diafragmas que menciona el *Corpus Hippocraticum* y que, como es lógico, aparecieron primeramente en Egipto. Una cáscara de nuez acondicionada, media granada o medio limón sin semillas insertados en el cuello del útero parecían suficientes para impedir la entrada del esperma. El más efectivo parece que era el fabricado con medio limón, ya que añadía el poder espermicida del limón a la barrera del diafragma. Y lo sabemos no solamente por la literatura antigua, sino por el propio Casanova quien, según dicen, solía ofrecer a sus amantes «medios limones con el pezón hacia adentro para no estorbar el amor».

Los diafragmas evolucionaron, sobre todo, a partir del siglo XIX, cuando el médico alemán Wilhem Mensinga diseñó un hemisferio de goma hueco con un resorte de reloj alrededor para asegurarlo en su sitio. El diafragma se hizo popular con el nombre de capuchón holandés, aunque nuestro médico alemán le dio el nombre más científico de pesario oclusivo.

Los médicos del siglo XIX popularizaron el uso de pesarios y diafragmas, que aplicaban para corregir los úteros caídos, pero también servían como anticonceptivos. El médico Edward Footer se refirió a ellos como «velo del útero» de goma india. Sin embargo, el diafragma era efectivo si iba

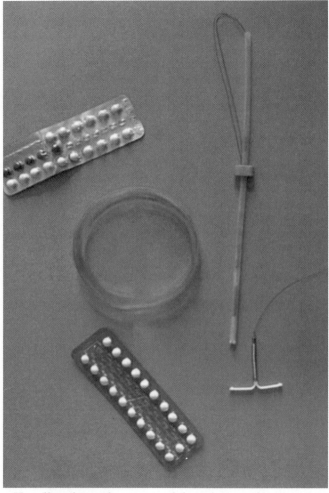

Hoy día existe todo un arsenal de anticonceptivos para la mujer: la píldora, el diafragma y el DIU. Todos ellos tuvieron sus precursores en la antigüedad.

acompañado de irrigación vaginal pero tenía que ser colocado por un médico, lo que restringió su uso.

Ya a principios del siglo XX, se empezaron a fabricar polvos ácidos y geles espermicidas, como el supositorio de quinina soluble, que se insertaban en la vagina unos minutos antes del coito, ya que su efecto no era inmediato ni tampoco largo y eso restringía su empleo y eliminaba en gran parte la magia previa al acto sexual. Además, aquellos supositorios se derretían en el interior de la vagina y la inundaban de un líquido espeso que, si bien facilitaba la penetración, resultaba incómodo e incluso bochornoso.

Aunque los supositorios de quinina se vendían en Londres desde 1885, las amas de casa progresistas de Europa y Norteamérica aprendieron pronto a fabricar espermicidas caseros, mezclados con métodos de barrera a base de glicerina o cacao.

LAS BOLAS DE ORO DE CASANOVA

Otro de los métodos contraceptivos que se conoce desde la Antigüedad es el llamado DIU, que son las siglas de Dispositivo Intra Uterino, un ingenio que se coloca en el interior de la matriz y cuya función es impedir que, en el caso de que se produzca la fecundación, el óvulo fecundado consiga anidar dentro del útero y hacer que, por tanto, no prospere.

Este dispositivo se empezó a utilizar aproximadamente hacia 1863, con los correspondientes perfeccionamientos posteriores. Pero ya los antiguos habían averiguado métodos menos sofisticados pero también efectivos para evitar la anidación del óvulo fecundado en el útero, aunque nada supieran de la existencia del óvulo ni del espermatozoide. Ya dijimos que la creencia que imperó desde la Antigüedad hasta después de la Edad Media fue la de la mezcla de los dos espermas masculino y femenino con la sangre menstrual.

Cuenta Charles Panati que, en la Edad Media, los árabes que cruzaban el desierto con caravanas de camellos se aseguraban muy bien de que las camellas no quedasen preñadas durante la travesía. Para ello, introducían en el útero de los animales objetos extraños como piedras de río, valiéndose de una cánula.

Pero las caravanas no empezaron a cruzar el desierto en la Edad Media, sino muchos siglos atrás, tantos, que ya Hipócrates de Cos, el médico griego que supo arrebatar la medicina a los templos para hacerla entrar en casa de los médicos, había observado el efecto anticonceptivo que producía un cuerpo extraño en el interior de la matriz. Ya hemos dicho que nada se sabía entonces de las causas de la fecundación, pero sí se conocían los efectos. Lógicamente, Hipócrates nunca supo que el organismo genera anticuerpos para atacar al objeto extraño situado en su interior y que esos mismos anticuerpos impiden la fecundación del óvulo o su anidamiento. Pero sí supo que las camellas de las caravanas nunca quedaban preñadas durante las travesías y por eso prescribió un nuevo anticonceptivo consistente en introducir pequeñas cuentas de cristal, hueso o madera en la matriz femenina.

A las cuentas de cristal, hueso o madera pronto se añadieron todo tipo de objetos, como botones, pelos de caballo, bobinas de hilo de plata. Estos objetos se insertaban en la matriz de las mujeres o de las hembras animales para evitar la preñez, según cuenta Charles Panati. Lo más interesante de este

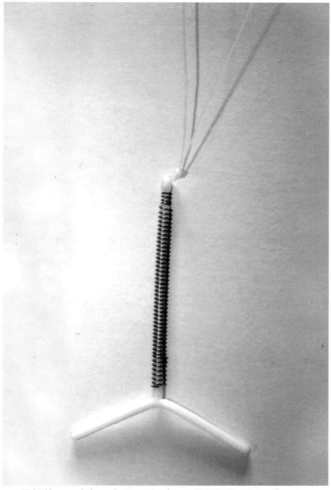

El dispositivo intrauterino, DIU. Los antiguos descubrieron que introducir un cuerpo extraño en el útero impedía la concepción. Parece que el primero en describirlo fue Hipócrates de Cos.

asunto es que tal método se estuvo utilizando durante siglos sin conocer el porqué de sus resultados que, además de evitar la preñez, debían incluir inflamaciones, infecciones y todo tipo de molestias.

Casanova declara en sus memorias haber utilizado bolas de oro de 60 gramos de peso, que le resultaron sumamente útiles durante sus cincuenta años de vida libertina, pero siempre que no se desplazasen durante el coito, es decir, siempre que permaneciesen «en el fondo del templo del amor mientras la pareja enamorada operaba el sacrificio».

Parece ser que la primera espiral efectiva, de plata y con la elasticidad adecuada, fue obra del médico alemán Ernst Grafenberg, ya en 1928. Por cierto, el apellido de este famoso ginecólogo dio su inicial al controvertido «punto G», una zona de la vagina en la que se encuentran las glándulas de Skene, unas pequeñas estructuras que vierten su secreción en el vestíbulo vaginal, constituyendo lo que algunos han dado en llamar «la próstata femenina».

EL CONDÓN DE TUTANKAMÓN

Tanto el controvertido condón de Les Combarelles como el del rey Minos, pueden ser historia o leyenda, pero el que parece conocerse como primer preservativo de la Historia es el que se utilizó en Egipto, catorce siglos antes de nuestra Era, fabricado con una tripa de animal anudada en un extremo.

De entre 1354 y 1345 a. C. parece que data el famoso condón fabricado con intestino de un animal —probablemente una vaca— llamado «de Tutankamón» que se expone en el Museo de El Cairo. Se

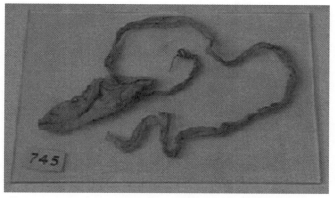

Este preservativo, encontrado en la tumba de Tutankamón,
se exhibe en el Museo de El Cairo.

encontró en la tumba de este faraón, un rey rodeado
de leyendas y mitos que falleció a los 18 años de
edad y tuvo por esposa a una de las beldades más
famosas de la antigüedad: Nefertiti.

3

De cuestión privada a cuestión pública

Las leyes, la política indulgentea los concubinarios dio
licencia por salvar al consorte el nupcial lecho. Ciudades
cultas dan con alto techoal público burdel magnificencia.

Nicolás Fernández de Moratín,
El arte de las putas.

El 26 de septiembre se celebra el Día Mundial de la
Anticoncepción. Con ese motivo, el 26 de septiembre de 2008, la Sociedad Española de Contracepción
(SEC) reclamó más acciones para reducir en España
el número de embarazos no deseados que, a pesar de
los muchos avances científicos y de encontrarnos en
plena Era de la Comunicación y del Conocimiento,
siguen siendo excesivos.

El Día Mundial de la Anticoncepción se celebró
por primera vez en 2007, con la finalidad de mejorar
la salud reproductiva mediante el perfeccionamiento
de la información sobre sexualidad y anticoncepción.

De todo esto informó la revista médica *Jano* en
su edición de septiembre de 2008. Tales actividades
significan que la contracepción ha trascendido el

ámbito de lo íntimo y lo doméstico para convertirse en *res publica*.

Cuando el estado toma las riendas

Hoy en día, el control de la natalidad es un tema público y sometido a debate. No es nada nuevo. El concepto de control de natalidad fue acuñado en 1914 por la enfermera irlandesa Margaret Sanger que tuvo 10 hermanos y es considerada la madre de la planificación familiar.

Tampoco fue entonces nada nuevo. Hace más de ocho siglos que los griegos habían discutido sobre el control de la natalidad, sobre su necesidad y sobre sus consecuencias. Aristóteles, tras comprobar que los pueblos más pobres eran precisamente los que no controlaban su población, señaló que el exceso de natalidad es una de las causas de ruina de los estados.

A pesar de sus descripciones del útero femenino como un animal hambriento de semen que clama por concebir (*Timeo o Sobre la Naturaleza*), Platón se mostró partidario de la contracepción como un método que concediese al ser humano mayor capacidad de autodeterminación o, lo que es lo mismo, mayor libertad frente a las fuerzas de la Naturaleza. En *La República*, el filósofo aboga por el control estatal de la natalidad, al igual que de la educación de los hijos. Es el Estado quien tiene que velar para que el número de ciudadanos a educar y mantener no sobrepase los recursos de la comunidad. Para ello, debe eliminarse el exceso de progenie o la progenie de peor calidad. Esta eliminación debería llevarse a cabo mediante el aborto. Ya dijimos que Platón aconsejó abortar a las mujeres mayores de cuarenta años para evitar hijos débiles.

Campaña en pro del uso del preservativo en Brasil. El control de natalidad se convirtió en un asunto de Estado hace más de ocho siglos. Sin embargo, el uso popular del condón como profiláctico es muy reciente.

Por él sabemos que hubo acuerdos en Atenas acerca del control de la natalidad, pues señala que,

> en vista de lo convenido, es necesario que los mejores hombres se unan sexualmente a las mejores mujeres; y lo contrario, los hombres peores con las peores mujeres; y hay que criar a los hijos de los primeros, no a los de los segundos, si el rebaño ha de ser sobresaliente. Y siempre que sucedan estas cosas, permanecerán ocultas excepto a los gobernantes mismos, si a su vez, la manada de los guardianes ha de estar, lo más posible, libre de disensiones.

Aquí vemos la intervención del Estado en el control demográfico de la ciudad de Atenas. Sin embargo, Esparta penalizaba el celibato y premiaba la natalidad liberando a los hombres de obligaciones militares a partir del tercer hijo y eximiéndoles de impuestos a partir del cuarto.

Tanto Platón como su discípulo Aristóteles abogaron por el control de la natalidad pues el exceso de población es causa de la ruina de los estados.

Esto nos indica que cada ciudad-estado griega tenía una legislación adecuada a sus necesidades y recursos. Los espartanos eran guerreros y es lógico que necesitaran un mayor número de nacimientos para reemplazar las pérdidas de las guerras, prueba de ello es que solamente criaban a los niños que nacían sanos y fuertes, como hemos visto anteriormente.

Los atenienses no necesitaban repoblar su ciudad con tanta frecuencia. Además, parece ser que también la tendencia a la vida placentera tuvo mucho que ver con el control de la natalidad, al menos así lo expresa Polibio, que se quejaba, ya en el año 150 a. C., de un descenso tan considerable de la población en todas las ciudades griegas de su tiempo. Muchas de ellas habían quedado desiertas, a pesar de no haberse producido epidemias ni guerras que justificaran tal pérdida, sino que más bien se debía a la lujuria, la molicie, la avaricia y la indolencia de las gentes, que preferían no casarse para vivir mejor o, si se casaban, no tener más de dos hijos y continuar manteniendo un elevado nivel de vida.

Las leyes griegas eran totalmente permisivas con el aborto, el infanticidio y la exposición de los hijos no queridos, una práctica que, como hemos dicho, era un infanticidio encubierto o atenuado. Parece que tuvo una etapa de auge, pero que a partir del siglo IV a. C. disminuyó notablemente, pues tanto Platón como Aristóteles dan a conocer que esa «costumbre primitiva» había evolucionado y se había sustituido por la contracepción, llegando a generalizarse de tal manera en los siglos III y II a. C. que preocupó a los pensadores, como hemos mencionado de las denuncias de Polibio.

A esta situación contribuyeron en gran medida los esclavos, que realizaban todas las labores que generalmente se hubieran cargado sobre la esposa, y las prostitutas que ofrecían a los hombres satisfacción sexual sin la contrapartida del compromiso matrimonial ni la necesidad de ocuparse de los posibles hijos.

Leyendo las crónicas de Polibio nos parece estar leyendo las de nuestro propio siglo, al menos, en cuanto a los resultados. Pero la merma de la población griega no se debió solamente al interés de los ciudadanos por vivir en la opulencia o por no perder su libertad, sino también a la protección de que gozaban el ejercicio de la prostitución y la homosexualidad, especialmente en Creta. La prostitución permitía el desahogo sexual de los hombres casados que evitaban así dejar embarazadas a sus esposas e incluso yacer con ellas, cuando dejaban de ser de su agrado.

En cuanto a la homosexualidad, téngase en cuenta que los griegos consideraban a la mujer no solamente inferior al varón, sino un ser incompleto e imperfecto, un varón inacabado por un error de la

La escuela de Atenas, de Rafael Sanzio. El estado griego tomó las riendas en el control de la natalidad. Filósofos, como Platón y Aristóteles, y políticos debatieron la necesidad de mantener un número limitado de ciudadanos.

naturaleza. Y, si la mujer era inferior, es lógico que el amor entre dos seres superiores, dos varones, fuese más del gusto de los dioses que el amor entre un ser superior, un varón, y otro inferior, una mujer.

El fomento de la prostitución, de la homosexualidad y de la soltería, unido a la malnutrición, a las enfermedades propias de la infancia y a las técnicas contraceptivas, más las guerras que habitualmente mantenían unos estados contra otros dentro o fuera del mundo griego, llevaron a la situación que provocó las quejas de Polibio.

Exceptuando sacerdotisas, maestras y hetairas que tenían su propia vida, las mujeres griegas estaban sometidas a sus maridos, relegadas al gineceo y dedicadas a reinar sobre sus esclavos, a mantener el fuego de los difuntos y a sustentar las tradiciones familiares. Solamente las espartanas tenían libertad. Las atenienses tenían derecho a exigir a sus maridos el débito conyugal únicamente tres veces al año. El resto del tiempo, el marido dedicaba sus ardores sexuales a hetairas, prostitutas o amigos íntimos. Y, no obstante, Plutarco se quejó de ese derecho femenino y lo empleó como un argumento en contra del matrimonio, pues obligaba al hombre a someterse a la mujer, sobre todo cuando mediaba una diferencia de edad notable y la capacidad sexual del marido se hallaba muy debilitada.

Cuenta Angus McLaren que uno de los motivos que impulsaron a los griegos a espaciar la natalidad fue el interés por mantener intacta la herencia, el deseo de transmitirla sin divisiones ni luchas posteriores entre herederos. Este movimiento nació hacia el siglo IV a. C. y promovió el estudio de los procesos de la generación, la fecundidad y la contracepción, incluyendo la función del esperma y la influencia de los progenitores en el sexo del feto[9].

Para las sociedades griegas de aquella época, el ideal familiar fue tener un único heredero, varón, naturalmente, al que transmitir el patrimonio intacto, y, si había hijas, casarlas a todas para que ninguna quedara dependiente del hermano. Las hijas, además, eran, como han sido a lo largo de la Historia hasta el siglo XVIII, prendas de paz que servían para establecer alianzas con otras familias o con otros estados, si se trataba de princesas o aristócratas.

La esposa ideal, por tanto, era una mujer fértil, capaz de proporcionar hijos varones, capaz de someterse a métodos de infertilidad o de contracepción para evitar excesos familiares, y que, como hemos dicho antes, se ocupase de mantener el fuego del hogar, el culto a los difuntos y el control de los esclavos. Y que se conformase con ser reina de esclavos y, como pone Papini en boca de Aspasia de Mileto, con su papel de portafetos.

LA DOBLE MORAL ROMANA

Los romanos, como muchos países actuales, propugnaron la familia numerosa cuando fue necesario elevar la tasa de natalidad, premiando a los matrimonios que tenían más de dos hijos. Y, también como muchos pensadores y políticos de nuestro tiempo, hubo filósofos y moralistas que clamaron contra la despoblación debida a la contracepción y al aborto, pero que no protestaron por la despoblación que seguía a las guerras crueles e injustas que promovían los políticos.

Julio César, por ejemplo, ofreció tierras a quienes tuvieran más de dos hijos y Augusto, el primer

---

[9] Sobre este asunto, véase mi libro *Historia medieval del sexo y del erotismo*, publicado por Nowtilus.

emperador de Roma, llegó a castigar el celibato, a prohibir el uso de anticonceptivos y a premiar a las viudas que volvían a casarse, ofreciendo beneficios fiscales (como ahora) e incluso políticos a los padres de familia que tuviesen tres o más hijos, algo similar a lo que hemos visto que sucedía en Esparta. Esto lo sabemos por Musonio Rufo, un filósofo estoico del siglo II que propugnó el matrimonio centrado en la descendencia y no en el egoísmo o el placer. Y, por supuesto, monógamo. Vemos también que el cristianismo adoptó gran parte de la doctrina de los estoicos. Otro estoico de la misma época, Hierocles, aseguró que la Naturaleza quería que los matrimonios tuviesen todos los hijos que ella les hiciera llegar. Y no solamente que los tuvieran, sino que los criaran, es decir, que no los abandonaran ni vendieran después del nacimiento.

Auro Gelio, autor latino del siglo II, aseguró que los romanos se casaban previo juramento de tener hijos e incluso menciona el caso de un hombre que hubo de divorciarse de su esposa, al comprobar que era estéril, a pesar de lo mucho que la amaba (Angus McLaren, *Historia de los anticonceptivos*).

Sorano de Éfeso, médico romano que vivió entre los años 98 y 138 y al que antes citamos como autor del primer libro que puede considerarse un tratado de Ginecología, escribió que las mujeres romanas se casaban para tener hijos y no por el placer de entregarse a un hombre. Sin embargo, su obra ginecológica describe más de treinta fórmulas anticonceptivas incluyendo espermicidas vaginales y preservativos. Aunque, cabe recordar, que los preservativos no tuvieron la función de evitar el embarazo sino de prevenir infecciones. Una de sus recetas más célebres es un emplasto compuesto por aceite rancio de oliva, miel y bálsamo o resina de cedro. También fueron famosos un tapón de lana empapado en vino y sustancias gomosas que se insertaba en el cuello del útero y una pasta que formaba una costra en el pene y que impedía el acceso del esperma al interior de la matriz.

Los preservativos que describe Sorano son similares a los que hemos mencionado anteriormente, fabricados con vejiga de cabra o tripa de cordero, a los que este autor aportó un nuevo material, la seda. Las tripas y vejigas de animales se utilizaron en la Antigüedad por su flexibilidad y finura.

También mencionó este médico la abstinencia periódica en el coito, para evitar el exceso de hijos, ya que comprendía que las mujeres temían tener muchos hijos porque eso las hacía envejecer antes de tiempo.

Hasta el siglo III a. C., los romanos mantenían una tasa de natalidad elevada, pero al entrar en contacto con los griegos, a finales del periodo republicano y durante el tiempo de los primeros emperadores, la natalidad descendió hasta el punto de que se hizo habitual adoptar hijos, incluso mayores, para asegurar la sucesión y la herencia.

En el siglo II a. C., el celibato era habitual en Roma. Del año 131 tenemos como testimonio un discurso del censor Quinto Cecilio Metelo, llamado «el Macedonio» por haber convertido Macedonia en una provincia romana, y que fue además de militar, orador y estadista. Su discurso hace hincapié en que el matrimonio y la procreación son un deber patriótico. Pero no se trataba de meras palabras, sino de una disertación que tenía el propósito de preparar las mentalidades romanas para la nueva legislación que propuso para acabar con el libertinaje y prohibir el celibato y la contracepción.

En realidad, parece que la mayoría de las familias romanas tenían dos o, como mucho, tres hijos que perpetuaran el nombre familiar pero que no

En Roma se llegó a premiar a las familias numerosas
con beneficios fiscales para evitar la caída
demográfica debida al excesivo interés
por el bienestar social.

obligasen a demasiadas divisiones del patrimonio. Según Angus McLaren, el mismo Séneca dijo ser fatua la idea de tener una prole abundante que asegurara la continuidad del nombre y el báculo para la vejez. Tácito, por su parte, tachó de bárbara la costumbre de tener todos los hijos que la Naturaleza procurase, como era el caso de los judíos, quienes, además de cumplir la famosa frase bíblica «creced y multiplicaos», consideraban un crimen matar o abandonar a los hijos no queridos.

La controvertida legislación sobre el aborto

Las leyes asirias no mencionan el aborto, ni para reprimirlo ni para aceptarlo. Las leyes egipcias tampoco lo citan. Los medos y los persas sí parece que lo castigaron incluso con severidad. Mil años antes de nuestra Era, un sacerdote brahmán escribió en la India una plegaria que es un largo encantamiento contra las personas que practican el aborto. En Grecia, hemos visto que se llevaba a cabo de forma sistemática, no solo el aborto, sino el infanticidio. Incluso, hemos visto que en Esparta se practicaba para eliminar la descendencia débil o inepta. En Atenas parece que se castigaba el aborto únicamente cuando se practicaba contra la voluntad de la mujer.

En Roma, como en Grecia, también se practicaba el aborto de forma habitual. El historiador Plinio el Joven cuenta algunas historias al respecto, por ejemplo, dice que una de las amantes de Ovidio, Corina, estuvo a las puertas de la muerte a causa de un aborto. Suetonio narra el fallecimiento de una concubina del emperador Domiciano, también a causa de un aborto. Marcial y Juvenal describen en sus crónicas las prácticas habituales de aborto y contracepción que llevaba a cabo la sociedad romana, donde el amor carnal estaba disociado de la procreación, ya que estos autores afirman que las mujeres que no tenían hijos no se privaban del placer. Eso mismo denunció san Jerónimo en el siglo V, mientras que el médico romano Aecio de Amida, en el mismo siglo, aporta todo un arsenal de recursos para evitar el embarazo o para abortar a voluntad.

Juvenal, en una crónica —que parece recrear la España de los años setenta, cuando solamente las ricas podían abortar acudiendo a las clínicas londinenses— menciona a las mujeres pobres que no pueden procurarse los servicios de las comadronas que practican el aborto y, por tanto, se ven obligadas a tener los hijos no queridos.

Parece ser que la primera ley de despenalización del aborto, en nuestro tiempo, se emitió en 1929, en lo que era entonces la Unión Soviética, siendo seguida por otros países y, ya en 1985, por España, donde se había iniciado el debate a partir de la Constitución de 1978.

Sin embargo, en el siglo XVIII, los médicos aplicaban técnicas de aborto con el fin de salvar la vida a la madre, pero también hubo algunos que se avenían a practicar abortos voluntarios, pinchando con una sonda el líquido amniótico, lo que legitimaba el objetivo terapéutico del aborto y escandalizaba a los moralistas. Fue precisamente en ese siglo cuando el abate Cangiamilla de Palermo se opuso a la aceptación de prácticas abortivas en periodos tempranos, cuando el feto todavía no había recibido el alma. Aseguró que todo ello era una invención de las mujeres para abortar impunemente y que el feto era un ser animado desde el momento de la fecundación. Además, abogó por salvar la vida al feto aun cuando supusiera la muerte de la madre, porque lo más importante era la vida espiritual del feto (los hijos abortados morían sin bautismo). Por fortuna, tanto los médicos como los teólogos rechazaron su propuesta de aplicar forzosamente la cesárea a las mujeres en peligro de muerte, para salvar al feto .

La voz de la Iglesia se viene elevando, junto a las voces de los grupos antiabortistas, en contra de estas prácticas y de estas leyes, argumentando que los embriones son seres humanos. Sin embargo, no conocemos casos de celebración de funerales ni misas blancas por sus almas.

En la Antigüedad, parece que la primera prohibición del aborto fue promulgada en Roma en el año 81 a. C. (la ley Cornelia) y que el emperador Augusto la mantuvo con el fin de terminar con la baja tasa de natalidad. Pero no parece que fuera una ley, sino una derogación transitoria de la ley o un decreto con carácter temporal, porque el Derecho romano no prohibía en absoluto el aborto a las mujeres solteras. En cuanto a las casadas, era el marido quien debía permitir o no abortar a la esposa, puesto que era él al fin y al cabo el padre de la familia, el dueño y señor, y quien decidía si aceptaba o no un heredero.

Dice Angus McLaren que, en tiempos de Septimio Severo, que vivió entre el 193 y el 312, hubo casos de mujeres condenadas al destierro por abortar sin permiso del marido, castigadas por haberle privado de descendencia. Este emperador tipificó el aborto como delito incluyéndolo en el *Digesto*.

En cuanto al abandono de hijos no queridos, era también el padre y no la madre quien debía decidirlo. También menciona un caso citado por Cicerón acerca de una mujer que fue condenada a muerte por abortar, porque mató las esperanzas del marido de tener un heredero y privó a la República de un ciudadano. Por tanto, la legislación no se ocupaba de la ética del aborto o el abandono, sino de proteger los derechos de los hombres a la paternidad. En el caso de mujeres viudas o solteras, era la madre la que tenía el derecho a decidir si el hijo había de nacer o no y, si nacía, si criarlo, venderlo o abandonarlo.

Sorano de Éfeso distinguió la contracepción del aborto, aceptando la primera y rechazando el segundo, en una época en que las gentes, sobre todo el pueblo llano que no tenía acceso a los anticonceptivos ni a los abortivos, equiparaba el aborto al infanticidio y se limitaba a eliminar o abandonar, como hemos dicho, a los hijos no deseados.

En Francia, cuenta Alfred Savuy que las comadronas del siglo XVII vendían preparados para expulsar el menstruo con violencia cuando se producían retrasos y que algunas utilizaban sus largas y limpias uñas para punzar las membranas y despegar el huevo con líquido instilado en el útero. Algo, sin duda, novedoso, porque fue precisamente en el siglo XVII cuando los médicos averiguaron que el ser humano, como todos, procede de un huevo. Fue William Harvey quien, en 1651, estudió los embriones de diversos animales y enunció su teoría: todo animal procede de un huevo, lo ponga o no. Casi acertó, porque creyó que el óvulo nacía en el útero y que allí recibía el soplo seminal.

Los reyes franceses de los primeros siglos no se molestaron en prohibir o permitir el aborto, porque de eso ya se ocupaba la Iglesia. Pero ya en el siglo XVI, Enrique II, en su código de 1556, castigaba con la horca a quienes privasen a los niños del bautismo. Cuenta Alfred Savuy que un manuscrito del siglo XVI estaba ilustrado con dibujos que mostraban a algunas mujeres de Roma arrojando al Tíber a sus hijos. El texto se escandalizaba sobre todo porque «las dolorosas pecadoras los tiran sin bautizar».

Puede que por ello surgiera una nueva generación de abortistas llamadas «hacedoras de ángeles», cuya actividad se conoce ya en la Edad Media, que tenían la precaución de insuflar agua bendita en el interior del útero, con una cánula, para bautizar al feto antes de proceder al aborto, con lo cual, lo convertían directamente en un ángel. La legislación francesa llegó a contemplar tres maneras de abortar: impedir la concepción, procurar la salida del feto animado y forzar el parto.

Junto a las menciones de «hacedoras de ángeles», hay otras que denuncian la criminal actividad de algunas brujas que degollaban a los niños durante las misas negras celebradas en honor de Satanás, su señor, y que después escondían los cadáveres en el jardín o los quemaban en un horno.

Estas historias de brujería no resultan en absoluto creíbles. Ya sabemos que la Edad Moderna inundó Europa de brujos y brujas, a los que se utilizó como chivos expiatorios culpándoles absolutamente de todos los males que sucedían, fuera cual fuera la causa. Lo que sí parece es que hubo una famosa celestina en Francia, conocida como la Voisin, por cuya casa desfiló buena parte de la nobleza en busca de hechizos, polvos amatorios o incluso venenos que, en lenguaje de estos lances, se llamaron «polvos de sucesión». Lo cuenta un erudito del siglo XX, especialista en historias del siglo XVI y XVII, Georges Mongredien. Dice este autor que la famosa celestina, la Voisin, tuvo un rifirrafe con otra de su gremio, la Lepère, y se vengó acusándola de haber llevado a cabo más de 10.000 abortos, aunque con ayuda de su hija. Y ella misma, la Voisin, llegó a confesar en una ocasión en que el alcohol le soltó la lengua, que había realizado más de 2.500 abortos.

EL ABORTO EN ESPAÑA

Según publicó la revista médica *Jano* el 2 de febrero de 2007, la tasa de abortos voluntarios se elevó en casi un 8 por ciento de 2005 a 2006. Este incremento se debió, según el Ministerio de Sanidad, al aumento de los centros que notifican interrupciones voluntarias de embarazo llevadas a cabo, así como al aumento de embarazos no planificados en las mujeres inmigrantes, a las que corresponde entre un 40 y un 50 por ciento de los abortos voluntarios producidos en España.

El perfil medio de las mujeres que abortan en España corresponde a una mujer soltera, de entre 20 y 30 años, con estudios de bachillerato, asalariada, sin hijos, que no ha abortado anteriormente, con un embarazo de menos de 12 semanas de gestación y que, por riesgo materno, aborta en un centro extrahospitalario privado.

El aborto alcanzó, como vemos, a todas las capas sociales. En sus memorias, el duque de Saint Simon pintó un detallado retrato de la corte de Luis XIV, sin silenciar los métodos utilizados por la aristocracia para no cargarse de hijos. Solamente habla de vomitivos y métodos para provocar abortos, no habla de anticonceptivos. Sin embargo, entre las cartas que Madame de Sevigné dirigió a su hija, hay recomendaciones claras para utilizar medios contraceptivos, como la que contiene la carta fechada el 17 de diciembre de 1671: «¿Acaso no se conocen los astringentes en Provenza?»

De la misma época, tenemos las *Historiettes* del escritor y poeta francés Gédéon Tallemant des

Réaux, que, entre otros cotilleos, cuenta que las famosas hetairas Ninon de Lenclos y Marion de l'Ormé se cuidaban muy bien de no quedar embarazadas, aunque disfrutaban frecuentemente del amor, pero hacían recaer sobre sus amantes el trabajo y la responsabilidad, suponemos que mediante el coito interrumpido y todos aquellos manejos que describimos anteriormente. No obstante, Marion de l'Ormé no tenía la misma habilidad que su compañera y, por un descuido, no tuvo más remedio que recurrir al aborto tomando una dosis de antimonio que, por desgracia, resultó excesiva y le causó la muerte. Respecto al antimonio como abortivo, comenta Alfred Savuy que no se conocía en Francia en aquella época, pero que probablemente fue uno de los amantes de la de l'Ormé, el poeta hedonista y libertino Desbarreaux, quien le trajo el abortivo de Venecia. Sin embargo, otras historias de la citada dama aseguran que tuvo que huir de Francia por haberse complicado en un complot contra Luis XIII y que murió, ya anciana, al regresar a París. No olvidemos que fue protagonista de un drama de Victor Hugo y que también aparece en la novela de Alfred de Vigny *Cinq Mars*, amante de la bella Marion y quien encabezó la conjura contra Richelieu.

Cuenta también Georges Mongredien que la Princesa Palatina, a la que en Francia se llamaba Madame y era esposa del hermano del rey, llamado Monsieur, escribió varias cartas a su hija, del estilo de las que escribió a la suya Madame de Sevigné, alegrándose de que no tuviera demasiada descendencia y explicándole, con detalle, que el embarazo y lo que le sigue no eran en absoluto divertidos y que ella misma había sufrido mucho durante el parto. Aquí, Madame contaba los muchos príncipes que los médicos habían enviado al otro mundo.

103

Los grupos antiabortistas y la Iglesia se oponen a todas las legislaciones que admitan el aborto, al entender que el embrión es un ser humano desde el primer momento. Siglos atrás y siguiendo a Aristóteles, filósofos, médicos y teólogos creyeron que el embrión recibía el alma a los 40 días si era niño y a los 80 si era niña.

OTRO PUNTO DE VISTA: RELIGIOSO Y FILOSÓFICO

En los textos bíblicos, el aborto aparece como un delito. El *Éxodo* señala el pago de una indemnización al culpable de la muerte del feto, según el desarrollo alcanzado. Si a causa del aborto la madre llegaba a morir, el castigo era la muerte.

Sin embargo, a la hora de elegir entre la madre y el feto en un parto complicado, el *Talmud* recomienda partir el feto en pedazos para extraerlo del útero, porque la vida de la madre es primordial. Sin embargo, si ya ha empezado a nacer y tiene fuera gran parte del cuerpo, no se le puede matar para salvar a la madre, porque ya no es un feto, sino un niño.

En el siglo I, el filósofo judío Filón de Alejandría, se opuso al aborto y además consideró inhumano el infanticidio, el abandono o la venta de los hijos no deseados. Si Dios había decidido proteger a los hijos dentro del útero materno, también debían protegerse fuera de él. Esta idea fue recogida y propagada siglos más tarde por San Jerónimo, quien, como dijimos, mucho se escandalizó y mucho recriminó a las mujeres romanas la frivolidad con la que manejaban estos asuntos.

Filón condenó no solamente el aborto sino también todo tipo de contraceptivos, en concordancia con la filosofía estoica que señala que el fin del matrimonio es la procreación. Declaró que quien deja perder su semen en el momento de la cópula, es enemigo de la Naturaleza. Conviene tener en cuenta que los médicos antiguos creyeron que el semen, el precioso líquido portador de la vida, era limitado y su producción podía extinguirse. Esta idea se propagó a la Edad Media, pues ya vimos que sus científicos se limitaron a beber en las fuentes clásicas. Por tanto, muchas filosofías y religiones consideraron un crimen el desperdicio de tan valioso elemento, de donde surgieron no pocas condenas a la masturbación y al coito interrumpido.

El cristianismo del siglo III consideró también pecado el aborto, después de traducir el *Éxodo* al griego (el griego fue la lengua oficial de la Iglesia hasta el siglo IV cuando adoptó la normativa romana para adecuarse al Estado). Clemente de Alejandría aportó un argumento novedoso para rechazar el abandono o venta de niños, amparándose en el mito de Edipo. Un hijo abandonado o vendido podía ser con el tiempo causa de incesto (recordemos que Edipo se casó con su madre sin saber que lo era).

El feto era una persona para unas culturas y un ser a medias para otras. En el año 100 a. C., por ejemplo, en Filadelfia, una ciudad de Lidia, los sacerdotes del templo dedicado a Dionisos prohibían la entrada no solamente a quien hubiese abortado, sino a quien hubiese utilizado contraceptivos, por considerar que la contracepción equivalía al aborto.

Aristóteles, por su parte, señaló la conveniencia de abortar cuando el número de hijos superase la tasa de natalidad convenida, pero puso buen cuidado en advertir que el aborto debía realizarse antes de que el feto tuviera sensaciones, es decir, antes de que se convirtiera en un ser vivo.

Este es el punto en el que ni las religiones ni las filosofías se llegaron a poner de acuerdo. Para unos, el feto se convertía en ser humano únicamente al nacer; para otros, el feto era solamente materia hasta que recibía el alma, la forma, que es la que lo convertía en ser humano. Aristóteles entendió que el feto recibía el alma a los cuarenta días de la concepción, si era varón y, a los ochenta, si era niña, un concepto que, como dijimos, se adoptó en la Edad Media incluso por parte de la Iglesia. Para los estoicos, sin embargo, el feto formaba parte de la madre, como una víscera más, hasta el momento de nacer.

Hipócrates, por su parte, señaló que es posible distinguir si el feto es varón a los treinta y un días del nacimiento y, si es mujer, a los cuarenta, pero nada dijo respecto a la adquisición del alma porque, para él, el alma era psicofísica.

Y, si miramos los libros sagrados de la India, los Veda, encontramos himnos que declaman el saber revelado por Brahma a los sacerdotes, que incluye recetas para recobrar la salud, para satisfacer pasiones personales y aplacar temores e incluso para provocar el aborto, sin siquiera pararse a considerar las semanas transcurridas desde la concepción (Diego Gracia Guillén, *Medicina Antigua: cuatro libros de medicina: Codex Vindobonensis*).

Según cuenta José María Blázquez, de la Real Academia de la Historia, la Iglesia no condenó los anticonceptivos hasta el siglo IV. Hipólito de Roma, autor del siglo III, escribió que los cristianos que vivían en Roma en su tiempo empleaban contraceptivos e incluso drogas abortivas, sin que el obispo romano, el papa Calixto I, llegara siquiera a reconvenirles. En sus disputas epistolares con este papa, le acusó de permitir a los cristianos todo tipo de pecados carnales. Sin embargo, numerosos escritos cristianos, incluyendo actas de concilios, condenaron la prostitución, la felación, la sodomía y las prácticas abortivas, sin mencionar en absoluto los anticonceptivos.

El primero que los condenó fue San Juan Crisóstomo, que vivió entre los años 354 y 407 y equiparó la contracepción al aborto y al infanticidio. Sin embargo, cuenta José María Blázquez que San Jerónimo, el que tanto denostó la conducta disipada de las viudas romanas que se entregaban a los placeres sexuales sin volver a casarse y las matronas que abortaban con toda desfachatez, señaló que el alma solamente puede habitar un cuerpo formado, señalando que los gérmenes se van formando poco a poco y no se configura homicidio hasta que los elementos confusos están configurados, es decir, hasta que la forma se impone a la materia.

En su *Homilía 24 sobre la carta a los romanos*, San Juan Crisóstomo relaciona la brujería con el aborto y la contracepción. Posteriormente, la Iglesia culpó a las brujas de todo lo malo que sucedía en el mundo, incluyendo la infertilidad, tanto de personas como de animales o campos, y el aborto. Si las brujas (y los brujos) fueron el chivo expiatorio de la Edad Media, el siglo XV convirtió la brujería en la plaga que azotó Europa hasta que la Ilustración trajo la Razón, liberó el pensamiento científico y acabó, al menos hasta cierto punto, con tanta superstición.

La Iglesia medieval se adhirió a la filosofía aristotélica, una vez depurado todo aquello que pudiera oponerse a las Sagradas Escrituras, y aceptó algo similar a lo que hoy llamamos ley de plazos para el aborto. Así, el derecho canónico aplicaba diferentes penitencias según el tiempo transcurrido desde la concepción y, naturalmente, según el sexo del feto abortado. El tiempo y el sexo, como hemos dicho, determinaban si el feto estaba o no animado. Los varones a los cuarenta días y las mujeres a los ochenta. No era lo mismo, por tanto, abortar un feto de sesenta días de vida, si era niño o si era niña.

Saber si el feto era niño o niña no supuso un grave problema para los médicos, pero sí lo fue el conocer el plazo transcurrido desde el momento de la concepción, es decir, la edad del feto. Para ello, médicos, filósofos y teólogos (con frecuencia, los médicos eran teólogos y filósofos al mismo tiempo) dedicaron todos sus esfuerzos a estudiar el legado científico de la Antigüedad y a elucubrar teorías que arrojasen alguna luz sobre el misterio de la generación, algo que, como sabemos, solamente se desveló con toda claridad en el siglo XIX, cuando los científicos que venían debatiendo durante siglos las distintas teorías sobre la fecundación se pusieron totalmente de acuerdo en la función que corresponde al hombre y a la mujer en tal proceso, es decir, cuando conocieron con certeza el papel que desempeñan el óvulo y el espermatozoide.

En el siglo XVI, se castigaba el aborto en diferentes países, como Francia, Inglaterra o Alemania, a partir del momento en que el embrión hubiera recibido el alma. Los papas modificaron sus criterios según la idea imperante de la animación del feto. Por ejemplo, en 1558, el papa Sixto V declaró que el aborto era un crimen en cualquier etapa de su desarrollo, al igual que la contracepción. Pero en 1591, el papa Gregorio XIV consideró excesiva la norma anterior y publico otra bula anulándola. Ya dijo Casanova que la infalibilidad papal es tan grande, que un papa desaprueba lo que aprobó el anterior.

Hubo incluso teólogos que consideraron más perdonable el aborto que la contracepción, porque en el caso del primero, siempre se podía argumentar que se había llevado a cabo para salvar la vida de la madre. Pero ni las mujeres medievales ni las antiguas debieron confiar demasiado en las pócimas abortivas, sino que utilizaron métodos mucho más seguros encomendados generalmente a las comadronas. En Grecia insertaban sustancias abortivas directamente en el útero, utilizando un tubo de plomo hueco, mientras que en Roma solían emplear plumas de pato.

Los textos religiosos que condenan el aborto son los que precisamente han revelado a los historiadores las costumbres de cada época, ya que no se limitan a condenarlo de forma abstracta o en general, sino que tratan de poner en guardia a los médicos, detallando casos concretos y previniéndoles para que no se dejen llevar por falsa piedad para acceder a las demandas de las mujeres.

LAS EXECRABLES PRÁCTICAS EN CONTRA DE LA NATURALEZA

En el siglo IV, hemos visto a San Juan Crisóstomo condenar tanto el aborto como la contracepción, equiparando ambas prácticas al asesinato. Entre los siglos IV y VII, diversos concilios equipararon el aborto al infanticidio, fuera cual fuera la etapa de desarrollo fetal (todavía no se había traducido y adaptado a Aristóteles a la normativa eclesiástica y no se admitían los plazos de animación antes señalados). Aunque el feto no tuviera vida, el aborto le impedía llegar a tenerla y eso constituía un delito. Y

109

Muchas culturas confundieron la contracepción con el aborto,
pero el primero en equiparar ambas prácticas al infanticidio
fue San Juan Crisóstomo en el siglo IV.

ya no solamente se consideró delito el hecho de abortar, sino el hecho de unirse en matrimonio sin traer hijos al mundo. También en el siglo v San Agustín equiparó a las mujeres casadas que no parían con prostitutas. Para él, el coito sin finalidad genésica es fornicación y el empleo de contraceptivos es una práctica execrable en contra de la Naturaleza. Este santo, por cierto, debía conocer muy bien el uso de los métodos anticonceptivos, dado que únicamente tuvo un hijo y sabemos, por sus propios escritos, que antes de ser obispo y santo, fue un gran fornicador durante los cuarenta años que practicó el maniqueísmo. Él fue quien tergiversó la maldición divina sobre Onán, señalando que fue castigado por derramar su semen, por malgastar el precioso líquido que Dios ha destinado a la fecundación, por practicar, en suma, un método anticonceptivo, cuando, en realidad, Dios le castigó, según la *Biblia*, por incumplir la ley del levirato y negarse a dar hijos a su hermano muerto. Recordemos que se ha llegado a equiparar el onanismo con la masturbación, cuando nada tienen que ver uno y otra.

Si observamos los recetarios antiguos y medievales, podemos comprobar que los brebajes y pócimas descritos se destinan lo mismo a la contracepción que al aborto. En el *Codex Vindobonensis*, por ejemplo, leemos que para abortar la mujer ha de colocarse en el cuello de la matriz un pesario de excremento de cabra mezclado con castoreo, mirra y miel, todo ello bien amasado y en forma de pastillas.

Esto viene a decir que muchos de los autores antiguos y medievales no distinguieron el aborto de la contracepción, lo que explica la condena del cristianismo medieval para ambas prácticas. Al primero que se le ocurrió diferenciarlas fue a Sorano de Éfeso, que explicó que «un anticonceptivo se diferencia de un abortivo en que el primero no permite

San Agustín, que conoció muy bien los anticonceptivos
en su etapa maniquea, fue el primero en calificar de
prostitutas a las mujeres que los empleaban.

que tenga lugar la concepción, mientras que el
último destruye lo que ha sido concebido». Sin
embargo, en aquellos tiempos, la información no se
propagaba fácilmente y la distinción entre los anticonceptivos y el aborto quedaron en los escritos de
este médico, mientras que el resto de la gente siguió
confundiéndolos durante siglos. No olvidemos que
el saber medieval se limitó a los conocimientos de
los clásicos, sin apenas aportaciones y ya hemos
visto la cantidad de errores anatómicos y fisiológicos que acumuló la ciencia en la Antigüedad. En la
Edad Media, el pensamiento científico todavía no
había hecho su puesta en escena y todos aceptaban,
sin el menor asomo de duda, las enseñanzas de los
antiguos. Nadie se detenía a analizarlas ni a detectar
sus posibles errores.

En los textos del historiador Philippe Ariés se
mencionan, según cuenta Alfred Savuy, acciones
cometidas durante el acto venéreo, que son sucias de
explicar y que consiguen que los hijos no vivan

llegando incluso a producir monstruos abominables. Aquí vemos la mezcla de varias confusiones. La primera es la contracepción y el aborto, ya que dice que consiguen que «los hijos no vivan», lo cual es imposible de lograr durante el acto sexual. En todo caso, se conseguiría «que no se conciban hijos». La segunda confusión mezcla la contracepción con lo que se ha llamado «perversiones sexuales» o lo que hoy se conoce como «parafilias», algo que se suponía que conllevaba, como castigo, la concepción de seres deformes.

También en el siglo XVI, el escritor francés Montaigne menciona a las numerosas mujeres desvergonzadas «que se libran cada día de sus hijos, tanto en la generación como en la concepción».

Pierre de Brantôme, el historiador francés que hemos citado anteriormente y que parece que fue tanto mujeriego impenitente como narrador impúdico, se escandalizaba a principios del siglo XVII de las prácticas homosexuales de su tiempo, lo que significa que debían estar extendidas. Este autor, sin embargo, excusaba tales prácticas en las mujeres solteras o viudas, ya que era preferible entregarse a tales placeres a ir con hombres que las podían hacer engordar e incluso abortar. Y cuenta el caso de una criada que «se dejó engordar» por un príncipe y que, cuando su embarazo resultó patente, dijo que lo único que se le podía reprochar era su falta de previsión, ya que si hubiese seguido el ejemplo de sus compañeras, no se vería en desgracia.

Por supuesto, hubo numerosas recetas anticonceptivas o abortivas mágicas, o bien con ingredientes mágicos y científicos, porque la medicina teúrgica se mezcló con la medicina racional durante siglos, combinando pócimas, ungüentos y brebajes con ritos, oraciones y amuletos. Por ejemplo, el propio Dioscórides, considerado padre del herborismo, que describió las propiedades médicas de numerosísimas plantas, recomendó colocar un ramo de peonías debajo del lecho para evitar la fecundación.

El mismo *Codex Vindobonensis*, un manuscrito medieval que hemos mencionado anteriormente y que recoge los conocimientos médicos de la Antigüedad, describe un amuleto infalible que sirve tanto para lograr como para evitar el embarazo. Consiste en llevar consigo, para quedar preñada, un trozo de hueso extraído del corazón de un ciervo. Ese mismo amuleto, atado al brazo, sirve como contraceptivo. Frotar con sangre de la vulva de una liebre muerta los genitales de la mujer, asegura la fecundación, mientras que llevar al brazo un trocito de vulva de leona, asegura lo contrario. Para no volver a concebir, esta obra recomienda el testículo de mulo. Curiosamente, parecer ser que Fernando el Católico murió de indigestión, debido a los guisos de testículo de toro que le suministraba su segunda esposa, Germana de Foix, angustiada por la falta de descendencia.

El mundo medieval, tanto cristiano como judío o musulmán, utilizó las recetas de Galeno, Aristóteles, Hipócrates, Plinio y otros médicos de la Antigüedad para procurar la fecundación o para impedirla. Avicena, el médico más famoso de la Edad Media, incluyó numerosas recetas y métodos en su *Canon de la Medicina*, previniendo contra la práctica del coito interrumpido que podía producir contracción testicular. Otros médicos medievales mencionaron también los diversos efectos perversos que podían derivarse de esa práctica, como la ulceración del pene.

Por tanto, la gente se procuró bebedizos a base de sustancias tan increíbles como la orina de eunuco o el riñón de mula, espermicidas similares a los empleados por los egipcios o ciertos movimientos descritos por los médicos griegos y romanos, como los que indicamos anteriormente que se creían capaces de expulsar el semen después de eyaculado en el útero. En el siglo I a. C., Lucrecio, por ejemplo, describió los movimientos que realizaban las prostitutas para no quedar preñadas, moviendo las caderas y el pecho de determinadas maneras para producir un efecto que él, poéticamente, denominó «apartan del surco la reja del arado y hacen que la semilla falle de lugar».

Durante siglos, se ha venido creyendo que ciertos movimientos o posturas evitan la concepción, al igual que los lavatorios aplicados inmediatamente después del coito, hasta que se conoció, no solamente la existencia, sino la velocidad de acceso de los espermatozoides, muchos de los cuales pueden haber alcanzado el cuello del útero a los diez segundos de la eyaculación.

A pesar de la influencia de Filón de Alejandría, el filósofo judío que mencionamos anteriormente, hubo rabinos medievales que supieron describir prácticas anticonceptivas con símiles poéticos, como «trillar dentro y aventar fuera», para impedir el embarazo a la madre que amamantaba. Los médicos antiguos y medievales creyeron que la sangre menstrual servía o bien para alimentar al feto o bien, convertida en leche, para alimentar al lactante, por tanto, no se podían hacer las dos cosas a la vez.

A LA PRIMA SEGUNDA, MÉTESELA A FONDO

La Europa cristiana medieval no abandonó el control de la natalidad, como se ha dicho en algunas ocasiones. Lo que se hizo fue modificar la estructura familiar y adaptarla a la condena que la Iglesia

Los médicos medievales aplicaron los recetarios de los médicos de la antigüedad para producir anticonceptivos.

arrojó sobre la contracepción, reemplazando aquellas familias romanas de pocos hijos y muchos esclavos por familias de muchos hijos y siervos que conformaron el feudo familiar. Además, la adopción, que fue habitual en Grecia y, sobre todo, en Roma, desapareció en la Edad Media. No hizo falta adoptar, porque las familias tenían todos los hijos que podían, aceptando tanto a los legítimos como a los ilegítimos. Pipino el Breve, por ejemplo, amó tanto a su hija bastarda Gisela, como a su hija legítima Berta.

Hubo etapas, como algunos periodos al principio del siglo XIV, en que la población excedió los límites necesarios para el reparto de las tierras y fue necesario limitar el número de nacimientos, empleando todas las técnicas anticonceptivas conocidas. Hubo otras, como el periodo de mediados del mismo siglo, en que la peste y las guerras diezmaron la población europea y fue necesario abandonar las prácticas contraceptivas para repoblar ciudades y campos.

La Iglesia medieval hubo de mantener una lucha denodada contra las costumbres paganas de las gentes. No olvidemos que Europa se formó con las tribus bárbaras que devoraron y se repartieron siglos atrás el Imperio Romano de Occidente, relegando a Roma a la parte oriental, a lo que se conoce como Imperio Bizantino.

Por tanto, las costumbres de los francos, los burgundios, los godos, los normandos, los longobardos y tantos pueblos como ocuparon y conformaron Europa, estaban muy lejos de las ideas que los eclesiásticos trataban de imbuirles. Por ejemplo, los hombres germanos llegaron a entender que no se les permitiese casarse con las mujeres próximas, como hermanas, hijas, nueras o cuñadas, pero no llegaron a aceptar el que ni siquiera pudieran acostarse con ellas. El proverbio popular que circulaba en el siglo XIII por la ciudad francesa de Sabartès, en Montaillou, lo dice bien claro: «*A cosina secunda, tot le li afonia*» (*à cousine seconde, enfonce-le lui tout*, que se podría traducir por: 'a la prima segunda métesela a fondo'), lo que viene a señalar el grado de parentesco que delimitaba el incesto (en J.P. Albert, *Croire et ne pas croire*, Heresis 39, 2003). Eso sí, parece que las relaciones incestuosas solían realizarse empleando métodos contraceptivos tan clásicos como el coito interrumpido.

La sensualidad de los pueblos germanos les llevó a colocar a la diosa del amor en un lugar elevado. No era raro encontrar casas de nobles germanos cuyo escudo de armas indicara «en el nombre de Dios y de la señora Venus». El concubinato era una situación no solo admitida por toda la sociedad, sino recomendable, porque permitía a las familias establecer nexos y alianzas entregando una hija en concubinato, sin que ello supusiera compromiso ni desdoro. La concubina podía llegar incluso a convertirse en esposa y, en el caso de ser despedida, podía casarse con cualquier caballero. Dado que no estaba casada, no había dote que devolver y eso significaba libertad para unirse y separarse. Algunas concubinas de reyes tuvieron incluso hijos o descendientes que recibieron la corona real. Constantino el Grande y Guillermo de Normandía fueron, por ejemplo, hijos de concubinas. Arnulfo de Carintia fue emperador, a pesar de proceder de la rama bastarda carolingia y el propio Carlomagno, muy católico, dio a sus hijas en concubinato para establecer lazos con otros reyes sin temor a que a su muerte una nube de nietos bastardos se disputara la corona.

El método de control por excelencia

Algunos filósofos griegos o romanos habían invitado a la abstinencia sexual. Para facilitar esto, los médicos se apresuraron a prescribir recetas y dietas que redujeran el deseo. Sorano de Éfeso, por ejemplo, recomendó una dieta seca (la humedad estaba relacionada con el deseo sexual y con la generación); otro médico, Pablo de Egina, aconsejó atarse un plato de plomo a los genitales, para disminuir el deseo y evitar sueños eróticos.

Es indudable que, para los hombres, el hecho de seguir un método de abstinencia periódica nada tuvo que ver con el control de natalidad, sino más bien porque muchos médicos escribieron sobre los beneficios y los perjuicios del coito. Y, en muchas ocasiones, se recomendaban periodos de continencia, de la misma forma que se aconsejaban días de ayuno.

El primer emperador que hizo gala de controlar su deseo sexual fue Marco Aurelio, que siguió el ideario de la Estoa y puso de moda durante una temporada el ascetismo, la castidad y, en el matrimonio, la monogamia, reemplazando las habituales bisexualidad y poligamia. Los estoicos, de los que ya dijimos que el cristianismo adoptó muchas ideas, propugnaban el matrimonio monógamo en el que los esposos eran, además, amigos, y en el que la finalidad del coito era exclusivamente la procreación.

Para la Iglesia, la única forma de controlar el número de hijos y evitar una familia numerosa, fue, ha sido y será siempre la abstención periódica del coito. Esto, aparte de las restricciones que cubrían periodos completos como la menstruación, la gestación, la cuarentena, la lactancia, y que seguían pautas médicas heredadas de la medicina antigua, y otros periodos religiosos como la Cuaresma,

El primer emperador que hizo gala de controlar su deseo
sexual fue Marco Aurelio. Siguió el ideario de la Estoa y
puso de moda el ascetismo, la castidad
y, en el matrimonio, la monogamia.

Adviento, Pentecostés y las vigilias de festivos o de comunión.

Lógicamente, los hombres recurrieron a satisfacerse con prostitutas, mientras que las mujeres, las que sufrían frigidez o rechazo al coito (probablemente rechazo al marido), aceptaron con delectación tantas limitaciones, mientras que las demás, hubieron de esperar momentos más propicios o recurrir, como recomendaron algunos médicos, a la masturbación para eliminar el esperma que se acumulaba en su matriz, con el peligro de sufrir lo que entonces se llamó sofocación de la matriz, histeria o furor uterino[10].

Al llegar la Edad Moderna, fue el Estado quien se ocupó de controlar la natalidad y no la Iglesia. Precisamente, la Iglesia medieval no se había preocupado tanto de las consecuencias de la contracepción como del placer que acompaña a la reproducción, demonizado por la Patrística que lo llegó a confundir con una aportación diabólica que ensuciaba el acto de la procreación y que llegó a interpretar que el pecado de Adán y Eva no fue de desobediencia sino de haber realizado el acto carnal acompañado de placer sexual.

Entonces, la intervención gubernamental permitió a los médicos ocupar el lugar de las parteras y comadronas y administrar anticonceptivos, lo que dio origen a la difusión del preservativo, al menos, a la divulgación de su existencia, ya que al principio no estuvo al alcance de todos los ciudadanos, como más tarde veremos.

---

[10] Véase mi libro *Historia medieval del sexo y del erotismo*, publicado por Nowtilus.

LA RULETA VATICANA

Lo que sí estuvo, con el tiempo, al alcance de todos fue el método del ritmo. Empédocles de Agrigento, que vivió entre 485 y 435 a. C., fue quien al parecer puso la primera piedra al método que siglos después diseñarían Ogino y Knaus, que se dio a conocer en 1929 y que fue tan bien acogido por los estados conservadores cristianos y, naturalmente, por la Iglesia. El nuevo método del ritmo consistía en conocer el ritmo fértil de la mujer, para que la pareja supiera que estaba cumpliendo con el precepto bíblico de crecer y multiplicarse, pero también servía para lo contrario, para eludir precisamente esos días de fertilidad.

Recordemos que en los años 60, en España al menos, se comentaba que Ogino era el mayor hacedor de hijos del mundo, porque muchas familias tenían más hijos por fallos del método de Ogino que por practicar el coito sin control alguno. No en vano recibió el nombre de «ruleta vaticana».

Los antiguos tuvieron noción de la existencia de un periodo en el que la mujer es estéril y, lógicamente, de otro en el que es fértil. Lo que sucedió fue que no acertaron con las fechas porque los ovarios se consideraron testículos femeninos hasta el siglo XVII, en el que, como dijimos, se descubrió que todos los animales, incluido el hombre, proceden de un huevo alojado en los ovarios.

Siguiendo a Empédocles, muchos médicos antiguos creyeron que la época más favorable para la concepción era los días inmediatamente antes y después de la menstruación, por tanto, se podía impedir el embarazo limitando el coito a los días restantes. Hipócrates aconsejó practicar el coito en las etapas de mayor fertilidad de la mujer, lo que se pudo interpretar en el sentido contrario para no

EL MÉTODO DEL RITMO Y LA TEORÍA DE LOS DÍAS SEGUROS

El método del ritmo se basa en que la mujer dispone mensualmente de unos 18 días sin posibilidad teórica de fecundación. El fallo, tanto en lo que respecta a lograr el embarazo como a conseguir lo contrario, estriba en que este método solamente funciona con mujeres de ritmo constante, algo muy complejo, puesto que cualquier mujer con ritmo regular puede verse afectada por la irregularidad en un momento indeterminado.

Se considera que la mujer es fértil dentro de las 24 horas después de la ovulación, que se produce 15 días antes de la menstruación. Ese decimoquinto día no es seguro. Además, como el espermatozoide vive de 48 a 96 horas, puede haber quedado esperando al óvulo a su llegada al útero. Así, el coito realizado 2 ó 3 días antes de la ovulación es inseguro y también lo son los días 16 y 17 antes de la menstruación.

El óvulo es el gameto femenino formado en el interior de un folículo en el ovario durante la ovogénesis. Es expulsado en cada ciclo menstrual y en caso de fecundación constituye el huevo que es origen de un nuevo ser. Se llama ovulación a la ruptura del folículo con desprendimiento del óvulo maduro. Se produce cada 28 días. El óvulo vive 24 horas y los espermatozoides de 48 a 96 horas, lo que arroja una fase fértil de 3 a 5 días.

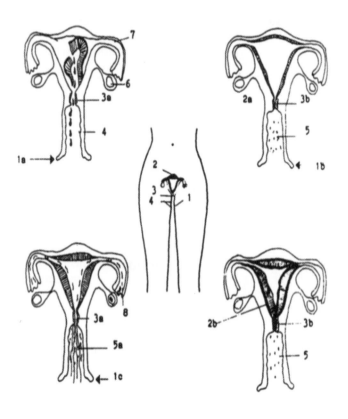

El método de Ogino recibió gran aceptación por parte de la Iglesia y de cuantos se oponían a los métodos contraceptivos. Fueron tantos sus fallos que se le llegó a llamar «la Ruleta Vaticana».

concebir. Sin embargo, tales etapas eran erróneas y, además, las irregularidades de las mujeres no siempre permitieron alcanzar los resultados apetecidos, bien para procrear o bien para lo contrario.

Sin embargo, dicen que Jean François Fernel, médico de Enrique II de Francia, le recomendó seguir los consejos hipocráticos y que, al cabo de once años de no tener descendencia, la reina Catalina de Medici dio a luz a su primer hijo.

Sorano de Éfeso propuso que la mujer guardara un ritmo y evitase el coito en los días siguientes a la menstruación. Algo que, como sabemos, es erróneo. El ciclo menstrual de la mujer está determinado tanto por factores biológicos como por factores externos y no es fácil apreciar el momento en que se produce la ovulación, aunque hoy se cuenta con recursos capaces de medir ciertos cambios que se producen en el organismo femenino, como la temperatura basal del cuerpo o el moco cervical que segrega el cuello de la matriz.

El *Talmud* menciona también los días fértiles, pero unos rabinos aseguran que la mujer solamente queda preñada al realizar el coito en los momentos más próximos a la menstruación, mientras que otros afirman que el más fecundo es el momento de los baños, cuando la mujer debe purificarse para librarse de su «inmundicia», que deben llevarse a cabo ocho días después de terminar la menstruación. En esa etapa de baños fue precisamente cuando David observó la belleza de Betsabé.

Los médicos de los siglos XVIII y XIX emitieron también consejos para que las mujeres concibieran o no, según el uso que hicieran de este método. En el siglo XVIII, el holandés Boerhaave y el suizo Albrecht von Haller coincidieron en que la mujer tiene mayor tendencia a concebir al final de la menstruación, mientras que, ya en el siglo XIX, el zoólogo francés Pouchet señaló que la concepción se puede llevar a cabo únicamente entre el primero y el duodécimo día después de la regla.

Frente al método de anticoncepción artificial que propuso el médico alemán Mensinga, autor, como dijimos anteriormente, del primer diafragma de caucho sintético que vino a aliviar las molestias femeninas, otros médicos abogaron por la continencia periódica que es, al fin y al cabo, la base del método del ritmo. Dada la problemática socioeconómica de finales del siglo XIX, el médico francés Du Mas calificó de grave la responsabilidad de las familias que se abandonaban al instinto reproductor sin poner los medios para controlarlo. Y, para que no cayeran en la tentación de emplear medios artificiales, explicó que existen algunos días en los que la fecundación resulta físicamente imposible. Los 2 o 3 últimos días que preceden a la aparición de la menstruación y los primeros días después de su desaparición son los más fértiles, ya que es cuando el huevo ha llegado a su madurez y se encuentra en las trompas uterinas dispuesto para que los animálculos (los espermatozoides) lo fecunden. En esos días es precisamente cuando la matriz tiene mayor capacidad de aspiración. Por tanto, cuanto más nos alejemos de esos días, la fecundación es más insegura y entre los 8 y los 10 días después de finalizar la regla, es imposible.

Como vemos, los consejos eran totalmente contrarios a la realidad. Puede que el motivo fuera el desconocimiento real de los procesos femeninos. Al fin y al cabo, fue en 1854 cuando se observó por primera vez la fusión del óvulo con el espermatozoide en el proceso de la reproducción. Hasta entonces, todo habían sido discusiones y especulaciones. Pero hay quien apunta a que también es posible que el engaño, al menos en el caso de algunos médicos, tuviera el objeto de evitar la disminución de la natalidad, algo que, en los siglos XIX y XX fue objeto de debate como veremos en el último capítulo

4

De concebir sin pecar a pecar sin concebir

> Tanto cristiano Demóstenes hablaba
> fulminando del púlpito amenazas al lascivo; mas ¿qué han
> adelantado? El mundo aún hoy se está como se estaba;
> prueba es que sus razones no han bastado.
>
> Nicolás Fernández de Moratín,
> *El arte de las putas.*

Hemos visto que tanto los estados como las filosofías y las religiones se han ocupado del control de natalidad, cada uno desde una perspectiva diferente o con una finalidad distinta y eso ha ido marcando la evolución (o la involución) de los programas y métodos de planificación familiar.

En numerosas religiones antiguas, tanto de la cuenca mediterránea como de Oriente, hubo dioses redentores, figuras místicas que se hicieron hombres para salvar al género humano del mal, muriendo a manos de sus esbirros para resucitar triunfantes y gloriosos. Todos estos dioses redentores, como Krisna, Dionisos, Ati, Osiris, Tammuz y otros muchos, nacieron de madre virgen, porque el nacimiento de un dios es siempre sobrenatural.

Nacer de madre virgen supone una concepción no ya sobrenatural, sino limpia de contacto sexual. Para muchas filosofías antiguas, como la Gnosis o la Estoa, la castidad fue la mayor de las virtudes, porque consideraron que la materia es sucia e indigna. Por tanto, nacer de madre virgen supone también una concepción sin pecado, una idea que el cristianismo tomó de gnósticos, estoicos y de distintas religiones mistéricas.

El ideal de los filósofos de la Patrística, impregnados de ideas platónicas y gnósticas, hubiese sido la castidad absoluta para todo el mundo, pero como, de haberse cumplido, el mundo se hubiera terminado, sus esfuerzos se dirigieron no ya a conseguir que la gente se mantuviese virgen, sino a conseguir que los matrimonios se uniesen para procrear, pero prescindiendo del ardor sexual, limitándose a cumplir el precepto de crecer y multiplicarse sin más preámbulo ni goce.

Así, en el siglo IV, el *Tratado de las vírgenes* de San Ambrosio, obispo de Milán, calificó al amor entre esposos de «torpes obsequios de la carne». Pedro Lombardo, al igual que san Agustín, atribuyó el pecado original al deseo sexual que desvirtúa la finalidad del coito. La *Epístola a los Tesalonicenses*, atribuida a Pablo de Tarso, recomienda aprender a poseer a la esposa «con un sentido santo y respetuoso, no por el ardor de la pasión».

Y, como el pecado original fue, según estos y otros autores, la concupiscencia, Dios les castigó con ella y con el dolor en el parto. Es decir, si Adán y Eva no hubiesen pecado, hubieran concebido a sus hijos sin deseo ni placer carnal y Eva los hubiera parido sin dolor. Pero, al pecar, la maldición de Dios hizo que el pene del varón se rebelase contra su deseo de ser casto (tal como les sucedió a San Agustín, San Jerónimo, San Antonio Abad y otros muchos) y que la mujer sufriera el sangrado de la menstruación, los dolores del parto y la cuarentena.

No es de extrañar, pues, que tras la puesta en circulación de todas estas teorías, la Iglesia condenara los anticonceptivos y todo lo que tuviera que ver con el placer sexual no limitado estrictamente a la procreación.

Sin embargo, el mundo evolucionó hasta el punto de que el modelo femenino que la Iglesia pretendió imponer a las mujeres, el de la virgen madre que es capaz de concebir sin pecar, se transformó en la mujer dueña de su cuerpo y de su destino, que no renuncia a los placeres ni a la libertad, la mujer capaz de pecar sin concebir. Esto expresa con gran nitidez una frase que Alexandre Boutique incluyó en 1894 en su novela *Les Malthusiennes*: «Santa Madre, creemos que concebiste sin pecado, ayúdanos a pecar sin concebir».

CUANDO LA SEXUALIDAD SE SECULARIZÓ

A pesar de la presión religiosa para lograr la renuncia a la carne y sus placeres, aun dentro del matrimonio, llegó un día en que la sexualidad se independizó del control eclesiástico y el control de la natalidad pasó a formar parte de la relación de pareja y a eludir la condena de la Iglesia. Ese día, las mujeres honestas empezaron a entender que el exceso de embarazos era un deshonor y, por supuesto, para las deshonestas seguía siendo un motivo de pérdida de valor comercial. Por tanto, tanto unas como otras emplearon métodos anticonceptivos.

En España, a finales de los años sesenta, había numerosos matrimonios que utilizaban la píldora anovulatoria u otros medios de control de natalidad,

La pérdida del Paraíso es un mito que existe en todas las religiones para generar el sentimiento de culpa en los hombres. En el cristianismo, el pecado original se asoció a la sexualidad.

que les permitían limitar el número de hijos sin renunciar en absoluto a los placeres de la carne. Sin embargo, era frecuente ver a estas personas comulgando durante la Misa. Si se les preguntaba cómo obtenían la absolución del confesor, la respuesta era invariable: esas cosas no se confesaban. Los confesores negaban la absolución si el penitente no se comprometía a abandonar las prácticas contraceptivas. Otras personas confesaban utilizar la píldora o el preservativo, simulaban un acto de contrición para recibir la absolución del confesor y esa misma noche mantenían relaciones sexuales con el método contraceptivo habitual.

No faltaron quienes tacharon esta actitud de hipócrita, pero eso no fue más que el inicio de la emancipación de la sexualidad del control místico de la religión. Incluso es más que probable que, si tanto la sexualidad como el control de la natalidad tardaron tanto tiempo en emanciparse de la religión, fue por falta de medios técnicos para conseguirlo, ya que en todo tiempo se intentó, en mayor o menor medida y con mayor o menor éxito, eludir la maternidad sin renunciar a los placeres del sexo. Entre los *Pensamientos* de la reina Cristina de Suecia (febrero de 1655) encontramos uno que resume la situación de numerosas mujeres de todo el mundo en los siglos anteriores al invento de la píldora y al descubrimiento de la penicilina: «la pérdida de la reputación, el temor al embarazo y el miedo a las enfermedades venéreas mantienen a más mujeres en la honestidad que el temor de Dios».

El método de la Coca Cola

Chapeauville, teólogo e historiador belga que vivió entre los siglos XVI y XVII, cuenta que en su tiempo no faltaban los pecados *contra natura* ni las prácticas de sodomía, entendiendo por *contra natura* el ejercicio de la sexualidad desligado del objetivo de la procreación. Los teólogos empezaron a preocuparse seriamente cuando las prácticas contraceptivas que llevaban a cabo las prostitutas, las libertinas e incluso las mujeres solteras de la alta sociedad, empezaron a extenderse a las mujeres casadas. Este autor no confundió, como hemos visto que hicieron otros muchos, la contracepción con el aborto, lo que nos indica claramente que era la contracepción lo que se practicaba ya a finales del siglo XVI, porque incluso las familias honestas parecían haberse puesto de acuerdo para eludir la generación.

Por mucho que se esforzaran este y otros teólogos en difundir la doctrina eclesiástica, según la cual, quienes empleaban tales prácticas estaban «ebrios de amor impúdico» y que pecaban mortalmente quienes empleaban brebajes y pociones para impedir la concepción con el temor de llegar a tener demasiados hijos, cuando la gente de bien jamás debería de albergar ese temor, sino al contrario, pues cada hijo que llega es una bendición de Dios; por mucho que remacharan los predicadores cristianos que incluso los hijos de los pobres pueden llegar a ser ricos porque Dios nunca pone una criatura en el mundo sin poner también los medios para su crianza (el pan que cada hijo trae bajo el brazo); por muchos sermones y enseñanzas que impartiera el teólogo belga en su *Breviario* dirigido a los fieles de Lieja, las familias honestas y cristianas cerraron un día sus oídos a sus enseñanzas y reprimendas y decidieron controlar el número de hijos que debían de nacer. No en vano disponían cada vez de mayor número de métodos y recursos para ello.

Así, en el siglo XVII, la limitación de los nacimientos se dejó de asociar a las perversiones sexuales e incluso surgieron tratados de moralistas que expresaban cierta comprensión hacia la carga que suponía para las mujeres un embarazo tras otro. Estos textos, naturalmente, iban todavía dirigidos a las damas de la alta burguesía, como Madame de Savigné. Las mujeres de las capas más bajas de la sociedad todavía tendrían que esperar para aprehender tales enseñanzas. En cuanto a los hombres, no parece que el asunto les preocupara gran cosa.

A principios del siglo XVII, apareció una obra de 1 500 páginas que con el título *De Sancti Matrimoni Sacramento* publicó un jesuita cordobés llamado Tomás Sánchez. En su extensa obra, el sacerdote arremetía contra los métodos contraceptivos que empleaban las mujeres casadas, describiendo tan prolijamente los métodos utilizados, con frases como «orinar tras el acto conyugal» o «agitarse como las rameras», que su diatriba resultó un tratado bastante completo de técnicas contraceptivas, muy útil para quienes no las conocían con detalle. Son las mismas, como vemos, que se utilizaron en la Antigüedad y en la Edad Media.

Así, entre los siglos XVI y XVII, surgieron numerosos tratados de sexología moral, muchos de los cuales admitían todos los métodos conyugales excepto los que evitan la procreación y divulgaban el método que ya habían aceptado los teólogos medievales para restringir el número de hijos en el matrimonio, que consistía, como sabemos, en practicar la castidad, siempre y cuando este remedio se aplicara a ambos cónyuges y no solo a la esposa. Un método que se denominó jocosamente en España, en los años setenta del siglo XX, el «de la Coca Cola» y que proponía esa bebida como anticonceptivo. Cuando el interlocutor preguntaba: «la Coca Cola ¿antes de o después de?», se le respondía: «la Coca Cola en vez de».

LA REVOLUCIÓN DE LAS FRANCESAS

Dicen que el siglo XVIII inventó el matrimonio por amor. Buena prueba de ello es una frase que el famoso seductor y libertino Giacomo Casanova incluyó en su *Breviario*: «Hay quien parece pensar que el marido no tiene por qué ser un amante». Eso significa que era una *rara avis* la persona que así pensaba y que, para el resto de los mortales, el marido sí era o podía ser un amante. Algo impensable en los tiempos anteriores. Ya en el siglo XIX, Stendhal puso en boca del protagonista de *Rojo y Negro* esta frase que sigue la misma línea: «Ella es mi mujer, pero no mi amante».

Hasta el siglo XVIII, el matrimonio era una transacción, un convenio entre dos familias. En la Edad Media, las gentes se maravillaban cuando oían decir que un rey moro estaba enamorado de su esposa, como al-Mutamid, rey de la taifa de Sevilla, que llegó a cuajar de almendros la sierra de Córdoba para que su esposa Ramayquia viera el campo blanco en primavera y no echara de menos la nieve de Granada.

Cierto es que en la Edad Media floreció en el sur de Francia el amor cortés, un amor aparentemente exento de sexualidad, que convirtió a la mujer en diosa, en amada inalcanzable, pero el objeto de ese amor nunca fue la propia esposa ni mucho menos una doncella, sino una mujer casada, la esposa de un señor de elevado rango, la señora con la que el enamorado caballero o trovador jamás hubiera podido acostarse. El ejemplo español de amor cortés más explícito nos los dejó Cervantes con Don Quijote y Dulcinea del Toboso. También hubo poetisas medievales que crearon bellísima literatura amorosa, como las cantigas de amigo, los villancicos o las jarchas, pero no iban dedicados al esposo, sino al amigo. El esposo era una imposición familiar, mientras que el amigo era el elegido del corazón: «¡Oh señor ruiseñor, hágame esta embajada y dígale a mi amigo que ya estoy casada!»

Los matrimonios por amor se consideraban alianzas desgraciadas, a pesar de los esfuerzos de algunos autores que abogaron por el amor matrimonial, como Margarita de Navarra, la célebre autora del *Heptameron*, más conocida como «la reina Margot», que aconsejó a los padres no obligar a sus hijas a casarse sin amor, porque los matrimonios sin amor estaban abocados a ser estériles. En aquella época todavía se creía que la mujer eyacula durante el coito y que su esperma es el auxiliar imprescindible del semen masculino para la formación del embrión.

Pero el siglo XVIII lo cambió todo, sobre todo, en Francia, donde las gentes alcanzaron la libertad sexual, diferenciándose definitivamente la procreación de la sexualidad y las mujeres fueron totalmente dueñas de su cuerpo. No en vano, Peter Fryer llamó a ese periodo la Revolución de las Francesas, un periodo en el que realmente se inicia la historia del condón como anticonceptivo y como profiláctico, no solamente como protector del pene. En este tiempo, las prácticas anticonceptivas se hicieron tan frecuentes y se extendieron de tal manera, incluso en el ámbito de la familia, que muchos moralistas, filósofos, sociólogos y médicos empezaron a preocuparse seriamente por el futuro del país, en el que descendían peligrosamente las generaciones jóvenes.

Por ello, Francia fue el primer país en identificar la disminución del número de nacimientos con el envejecimiento de la población.

El siglo XIX trajo de nuevo el puritanismo y las costumbres dieron un paso atrás en lo que a sexualidad se refiere. El mismo paso atrás que habían dado en la Edad Moderna, frente a la Edad Media. En la Edad Media, se acusaba tanto al hombre como a la mujer si una pareja incurría en cualquier actividad prohibida, mientras que la Edad Moderna, con la llegada del puritanismo, culpó exclusivamente a las mujeres, controlando su actividad sexual y castigando la indecencia en las mujeres solteras. Fue la época de las denuncias por brujería, por aborto, por infanticidio y por mantener relaciones sexuales fuera del matrimonio. El embarazo prematrimonial llegó a ser delito en la Inglaterra del siglo XVII.

En el siglo XIX, el control de la natalidad sufrió un cambio importante no solamente con el enfoque moralista, sino con la Revolución Industrial que renovó la necesidad de mano de obra para el trabajo industrial familiar o doméstico, lo que se tradujo en un aumento del número de hijos. Las mujeres respetables eran totalmente ignorantes en todo lo relativo a sexualidad (al igual que en lo que concernía a la política y a la economía, exceptuando la doméstica) considerándose la pasividad sexual como señal de urbanidad y honestidad, mientras que la participación activa se entendió como una cualidad propia de gente baja o de mal vivir.

La mujer de clase media y alta vivía encerrada en casa y reprimida; sin trabajar fuera ni dentro, pues todo el trabajo lo realizaban los criados; sin educación ni estudios, exceptuando los temas familiares, la música y algún idioma; dedicada a ser exclusivamente madre y esposa, pero no a ser persona. En el siglo XIX y principios del XX, los

El modelo femenino que los padres de la Iglesia
pretendieron imponer de madre virgen se trastocó por
completo con la llamada Revolución de las francesas del
siglo XVIII, que trajo la libertad de la mujer para decidir
sobre su cuerpo.

consejeros matrimoniales eran curas y los confesores dirigían la vida y costumbres de las mujeres honestas, algo que Blasco Ibáñez denunció en su magnífica novela *El Intruso*. La Iglesia católica consideró que la planificación familiar era producto del modernismo y, por ello, el índice de natalidad de los católicos resultó generalmente más alto que el de los protestantes.

Sin embargo, en la Francia del siglo XIX, encontramos textos como *La historia de las clases obreras* de Levasseur, en las que el autor señala que la mayoría de las familias francesas empleaba métodos preventivos para evitar convertirse en numerosas y que no era necesario buscar razones sutiles para averiguar el motivo, sino que más bien, en Francia, las familias no tenían una prole abundante porque no querían. Y también explica este autor que, si bien las religiones han influido siempre en el aumento de los nacimientos, puesto que enseñan que los hijos son siempre una bendición, en Francia la fecundidad disminuyó junto con la merma del respeto hacia la religión. La religión influye en las costumbres tanto como las condiciones socioeconómicas, por eso, la fe religiosa aumenta la fecundidad de un pueblo, mientras que el bienestar tiende a limitarlo, igual que muchos jóvenes posponen el matrimonio por temor a la pobreza.

Pero en el Siglo de las Luces, los matrimonios se amaron y el trato brutal que los hijos recibían en los siglos anteriores se convirtió en afecto, como fue el afecto el que motivó las uniones matrimoniales y no los arreglos parentales. La estructura familiar se modificó en esa época, abandonando la postura medieval de concentrarse en torno al padre de familia, para concentrarse en torno a los hijos. Con la apertura de las Universidades al mundo laico, los hijos varones dejaron de abandonar la familia para trabajar y valerse por sí mismos para invadir las Universidades, mientras que las mujeres todavía quedaron confinadas a la economía doméstica, aunque con el sentimiento de ser dueñas de sus cuerpos.

Muchos moralistas se escandalizaron de que los métodos «para engañar a la Naturaleza» hubieran invadido incluso «la santidad del lecho conyugal». El control de la natalidad tuvo un motivo añadido, que fue el bienestar de los hijos habidos, no ya los problemas de división del patrimonio que tanto preocuparon a las familias antiguas y medievales ni tampoco el otro extremo, la necesidad de hijos como mano de obra, para aumentar y sostener los bienes familiares. En el siglo XVIII se emplearon métodos contraceptivos para proteger a la mujer del exceso de hijos y también para evitar la mortalidad infantil que suponía la crianza en manos mercenarias. Y precisamente fue el amor entre esposos el que promovió la separación entre la sexualidad y la procreación, algo que en la Edad Media hubiera sido impensable dentro del matrimonio.

Pero el progreso se enfrentó un día a la religión y la imprenta trajo consigo la divulgación de muchos métodos anticonceptivos utilizados por los antiguos, condenados, por cierto, por la Iglesia, pero que se pusieron al alcance de quienes supieran leer o tuvieran a mano a quien pudiera hacerlo.

Dice Joseph Spengler, economista e historiador del siglo XIX, que fue el siglo XVII el que inició la evolución psicológica en Francia, una evolución que impuso el racionalismo sobre las ideas sobrenaturales y religiosas y que se fue propagando paulatinamente desde las clases altas a la burguesía. Los factores que determinaron esta evolución que conllevó, en lo que a nuestra historia respecta, la generalización de los métodos contraceptivos fueron los mismos que ya denunciaron muchos siglos atrás Polibio y otros autores de la antigüedad: la vida urbana, la corrupción de las costumbres, el lujo, el bienestar en suma. Philippe Ariés, un historiador francés del siglo XX, asegura que fue en el siglo XVII, en tiempos de Luis XIV, cuando las mujeres francesas empezaron a sentir repugnancia o rechazo hacia el embarazo y que la alta sociedad llegó a considerar inmoral a la mujer que siempre estaba encinta.

En 1706, una comedia en cinco actos de G.T. de Valentin, *Le Franc Bourgeois*, recomendaba abstenerse de vez en cuando del placer y no hacer más hijos de los que se puedan alimentar. Una llamada al conocido «método del ritmo» que más tarde se conocería como «la ruleta vaticana».

UN TESTIMONIO MUY VALIOSO

Intentando averiguar cómo pudo Francia llegar a la mentalidad de controlar la natalidad en un tiempo en que el mundo aceptaba como buenas las enseñanzas religiosas de que todo hijo trae un pan bajo el brazo y de que una prole abundante es una bendición de Dios, Jacques Bertillon, demógrafo del siglo XX, descubrió que las clases altas debieron de ser las primeras en admitir y practicar ideas y doctrinas contrarias al cristianismo. Ideas que se desarrollaron a lo largo de los siglos y que un día dieron lugar a la Revolución francesa. El autor menciona tres puntales decisorios: el debilitamiento de las ideas religiosas, el espíritu democrático y el individualismo.

Y dice este autor que las clases altas dieron el ejemplo que fue imitado por las clases obreras, puesto que la natalidad entre las capas sociales más bajas era mucho más elevada que entre las altas, pero que se fue debilitando de forma regular e imparable. De este ejemplo tenemos testimonios como las cartas de Madame de Sevigné quien, aun siendo mujer honesta y cristiana practicante, aconsejó a su hija no quedar embarazada contra su voluntad y le recomendó métodos específicos anticonceptivos, en pleno siglo XVII. En las cartas que le dirigía, le recomendaba, como hemos visto, lavatorios con astringentes, así como ejercicios, movimientos para expulsar el semen lo antes posible, en el caso de que su marido no llegase a interrumpir la eyaculación a tiempo.

Marie de Rabutin-Chantal, conocida como Madame de Sevigné por su matrimonio con el marqués de Sevigné, fue una importante figura social francesa que brilló en la corte de Luis XIV, una de aquellas mujeres que su siglo llamó «preciosas» y que un siglo después se llamarían «increíbles». Vivió entre 1626 y 1696. Viuda muy joven, dedicó sus energías a amar a sus hijos, especialmente a su hija Françoise-Marguerite. Cuando esta se casó con el conde de Grignan y ambos se fueron a vivir a Provenza, madre e hija se consolaron con una riquísima correspondencia que duró veinticinco años, hasta la muerte de Mme. de Sevigné.

Sus cartas se publicaron en diversas ediciones, tras seleccionarlas y eliminar las que mencionaran temas comprometidos para la familia. Las adaptaciones, expurgaciones y traducciones de los textos han hecho que muchos estudiosos duden de la autenticidad de algunas de ellas. Lo mismo sucedió con las memorias de Casanova un siglo más tarde.

En todo caso, las cartas de Mme. de Sevigné nos han dejado un importante legado costumbrista de su época, porque en ellas le cuenta a su hija historias y cotilleos de la corte de Luis XIV; le da, como dijimos, diversos consejos sobre prácticas contra-

Las cartas de Madame de Sevigné a su hija han dejado un importante legado de conocimientos sobre las costumbres y las prácticas contraceptivas del siglo XVII.

ceptivas y, además, como madre preocupada por la salud de su hija, incluye algunas recetas médicas populares en su tiempo que no dejan de ser curiosas. Por ejemplo, un caldo de carne de víbora que le había recomendado Mme. de La Fayette. La carne de víbora tiene, según estas damas, una gran cantidad de espíritus muy difíciles de apaciguar, por lo que el enfermo recibe de ella espíritu y fuerza[11].

En el siglo XVII, todavía se encontraban numerosas referencias a la magia para abortar, para evitar el embarazo o para todo lo contrario, es decir, para conseguir descendencia. A pesar de que en ese siglo se produjo la Revolución científica, de que fue el tiempo de Descartes, Galileo y Pascal y de que los conocimientos comenzaron a divulgarse y, sobre todo, a actualizarse a través de una nueva invención, las revistas, que convirtieron la ciencia estática de los libros en ciencia dinámica, todavía el pensamiento científico cohabitó en la mente con el pensamiento mágico, dando lugar a situaciones bien curiosas. Por ejemplo, se divulgó la teoría del homúnculo, que consistía en la posibilidad de fabricar seres humanos minúsculos a partir de esperma humano y otros productos. También hubo medicamentos con ingredientes mágicos, como hemos citado sobre la carne de víbora, y tratamientos contra las convulsiones histéricas o epilépticas a base de polvo de momia o raspadura de calavera. Y se siguieron condenando los métodos diabólicos para conseguir esterilidad en las mujeres o impotencia en los hombres, es decir, se continuó creyendo en la brujería.

---

[11] Los espíritus fueron, en la medicina medieval y según el *Canon* de Avicena, fluidos que tienen facultades propias y transitan por las circunvoluciones cerebrales. La obstrucción de su circulación producía enfermedades graves. Durante siglos, se consideraron instrumentos del alma.

ENSAYO SOBRE EL PRINCIPIO DE LA POBLACIÓN

Dice Angus McLaren que la diferencia entre la familia medieval y la familia del siglo XVIII estriba en la planificación familiar, en la prudencia a la hora de decidir el número de hijos y, también, a la hora de casarse. La economía tuvo mucho que ver con dicha planificación. Por ejemplo, en Inglaterra, donde no había apenas tierras que repartir, el número máximo de hijos era de 5 o, como mucho, 6, mientras que en América, donde abundaba la tierra, muchas familias superaban los 8 hijos.

En Francia, el siglo XVIII produjo numerosas alusiones literarias a los fraudes conyugales, incluyendo canciones picarescas. El espíritu del control de la natalidad aparece en la carta que el Marqués de Montcalm escribió el 8 de mayo de 1756 al desembarcar en Canadá. Cuenta Jacques Bertillon que esta carta contiene un párrafo esclarecedor del pensamiento francés al respecto: «lo que parece más extraño en el reino, sobre todo a nuestros señores de la corte que temen tener más de un heredero, es que un solo colono establecido en Canadá haya sido capaz de poblar cuatro parroquias y que hoy se encuentre rodeado por 220 personas de su raza» (en Alfred Savuy, *Historia del control de nacimientos*).

En Europa, los jornaleros y los artesanos procuraban retrasar el matrimonio y, cuando venían los hijos, los enviaban a trabajar las tierras de otras familias que tuvieran menos descendencia, un método que consiguió equilibrar la oferta y la demanda de mano de obra. David Hume, filósofo, economista e historiador escocés del siglo XVIII, escribió que en todo ser humano hay un deseo y una capacidad de generación mayores que los que se ejercen universalmente. Otros del mismo siglo, como Short, no se limitaron a señalar, sino que denunciaron abierta-

Thomas Malthus organizó una verdadera revolución
con su demostración de que la población crece en
proporción geométrica, mientras que la producción
de alimentos lo hace en proporción aritmética.

mente las «prácticas que utilizan esos miserables para evitar la concepción resultante de su placer carnal».

Pero los hijos del siglo XVIII no fueron peones que moviera el padre de familia para su propio lucro, como muchas mujeres no fueron ya prenda de intercambio. Los hijos del siglo XVIII que salieron de casa para trabajar consiguieron también la autonomía económica para, a su vez, casarse y tener hijos. Y, además de autonomía económica, tuvieron libertad para elegir a su pareja, toda vez que vivían lejos de la autoridad paterna.

Y qué duda cabe de que el hecho de disponer de mayor libertad y autonomía no siempre llevó consigo el matrimonio, sino también un aumento de hijos ilegítimos, probablemente por desconocimiento de prácticas contraceptivas eficaces, como las que ya manejaban sobradamente las capas altas de la sociedad.

Al control de natalidad se unió el desarrollo del celibato, algo que asustó en gran manera a los poblacionistas que sumaron el celibato eclesiástico más el celibato militar más el nuevo celibato llamado celibato de conveniencia, introducido en la sociedad, según ellos, a causa del lujo y del libertinaje, algo a lo que ahora llamamos bienestar.

El primero que puso de manifiesto los peligros que supondría para el mundo el crecimiento descontrolado de la población fue Thomas Malthus, un economista inglés que publicó su *Ensayo sobre el principio de la población* ya en 1798, causando una verdadera conmoción y una división entre partidarios y detractores del control de natalidad.

Su defensa del control de natalidad se fundamentó en evitar la superpoblación del planeta, lo que determinaría restricciones de recursos alimenticios, ya que la población, si no encuentra obstáculos, aumenta en progresión geométrica, mientras que los recursos para la subsistencia solo pueden aumentar en progresión aritmética (Thomas R. Malthus, *Primer ensayo sobre la población*). Y, precisamente, esta deficiencia vendría a oponerse a la nueva sociedad de bienestar que se avecinaba merced a los nuevos adelantos de la técnica y el progreso, como el tránsito a la democracia, la mecánica o la industrialización.

Pero no hay que suponer que lo que propuso Malthus fue utilizar medios contraceptivos como diafragmas, condones, dispositivos intrauterinos o remedios orales o mágicos. Además de economista, era clérigo y, como tal, lo que vino a proponer fue la castidad prematrimonial estricta y, además, el retraso del matrimonio. Cuanto más mayores fueran los contrayentes, menos hijos tendrían y, si antes de casarse se mantenían vírgenes, se acabarían los hijos ilegítimos cuyo aumento amenazaba el orden mundial.

Más tarde, ya en el siglo XIX, surgió el maltusianismo moderno que sumó a los factores señalados por Thomas Malthus un nuevo factor: el cálculo de la economía futura, que incluye el nivel de vida y sus previsiones.

LOS MORALISTAS

En los siglos XIX y XX, surgieron encíclicas papales encaminadas a recordar a la población que Dios había prohibido (no sabemos cuándo ni cómo) practicar la sexualidad sin el único objeto de procrear y que, por tanto, la única forma de limitar el número de hijos era la abstinencia periódica.

El 31 de diciembre de 1930, por ejemplo el papa Pío XI publicó su encíclica *Casti Connubii*, alabando la santidad del matrimonio cristiano, sustentando que la redención había permitido al ser humano volver a convertirse en vaso sagrado receptor de Dios y que, por tanto, era preciso mantenerlo santo y puro, dejándose guiar por la mano amantísima de la Santa Madre Iglesia en lo que a los asuntos de la carne se refiere. Todos los actos del matrimonio debían ir encaminados a transmitir la vida.

Algo similar había escrito cincuenta años antes el papa León XIII en su encíclica *Arcanum* y lo mismo escribió en 1968 Pablo VI en su *Humanae Vitae*.

El mensaje de estos escritos se resume en que la comunión de las almas establece entre los esposos lazos más fuertes y sagrados que la unión de los cuerpos. Siguiendo los textos de San Pablo, San Agustín, Santo Tomás de Aquino y otros doctores de la Iglesia, no puede haber otra finalidad en la sexualidad humana que la procreación y, siempre, dentro del sacramento del matrimonio.

Todos ellos señalan que el hombre se distingue del animal en que se entrega a la carne no por la llamada del instinto, sino por la llamada del precepto divino de crecer y multiplicarse. Paradójicamente, sabemos que es precisamente el animal el que únicamente acepta el coito cuando es tiempo de reproducirse y siente la llamada del instinto sexual tan solo en periodos fértiles, mientras que el ser humano es capaz de sentir esa llamada en cualquier momento.

Pero los moralistas no siempre fueron clérigos, sino que también ha habido a lo largo de la Historia numerosos personajes laicos de toda índole y condición que han escrito y hablado sobre moral, tanto secular como religiosa.

En el siglo XX, Gregorio Marañón argumentaba en contra de los moralistas que se oponían al control

La encíclica *Casti Connubii* de Pío XI condenó la contracepción y dio argumentos a los moralistas para limitar la actividad sexual a la reproducción dentro del matrimonio.

de la natalidad, explicando que cada eyaculación humana contiene entre 2 y 500 millones de espermatozoides, que serían suficientes para fecundar a todas las mujeres del mundo. Sin embargo, la propia Naturaleza se ocupa de destruirlos y, como mucho, alguno sobrevive para dejar encinta a una sola mujer.

Era importante, por tanto, utilizar métodos médicos para que el tener hijos no sea una cuestión cuantitativa, sino cualitativa. Y si el control de natalidad hiciera descender el índice demográfico, lo que había que hacer era terminar con las guerras, que los médicos impidieran las muertes prematuras y que los sacerdotes dejasen de bendecir los cañones.

No obstante, Marañón sumó sus propias convicciones morales, propias de su tiempo, a sus explicaciones científicas, señalando que lo anteriormente expuesto no significa que haya que restringir la maternidad hasta el punto de olvidar que el objeto del matrimonio es la procreación, una función que conlleva goces sublimes junto con dolores que no deben eludirse para entender plenamente la paternidad y la maternidad (Gregorio Marañón, *Tres ensayos sobre la vida sexual*). Y, por supuesto, los métodos médicos a aplicar para controlar la natalidad han de utilizarse dentro del ámbito del matrimonio.

Los moralistas del siglo XVIII aprovecharon toda la literatura de ciencia ficción publicada en torno a los efectos perversos del coito interrumpido y de la masturbación, para sumar a las amenazas infernales los peligros fisiológicos que suponían tales prácticas.

En ambos casos, el pecado era doble. Por un lado, se obtenía placer sexual eludiendo la única finalidad aceptada por el cristianismo, que es la procreación; por otro lado, se derrochaba un licor precioso, valiosísimo, capaz de transmitir vida y que, según las enseñanzas de los médicos y los filósofos de la antigüedad, podía llegar a agotarse.

Siguiendo las teorías transmitidas por culturas tan antiguas como los persas o los babilonios, los sabios antiguos, como Galeno, Platón o Aristóteles, creyeron que el esperma se produce en el cerebro, en la médula espinal o, incluso, a partir de todo el cuerpo, sobre todo, de los ojos. Eso llevó a idea errónea de que el exceso de emisión seminal podía acarrear locura, reblandecimiento medular o incluso ceguera. Todavía en el siglo XX, en España, entre la década de los cuarenta y la de los sesenta, se publicaron obras pretendidamente científicas, escritas por médicos, en las que se aseguraba que, aunque no es cierto que exista peligro de reblandecimiento de médula o ceguera, sí lo es que la sensación voluptuosa reiterada que conlleva la masturbación puede dar lugar a un quebrantamiento nervioso.

A pesar de tan terribles amenazas, la práctica del coito interrumpido como método contraceptivo ha estado siempre muy extendida, como sabemos. En el siglo XVII, una comadrona llamada Jane Sharp denominó a esa práctica «la Semilla de Onán» y, en el siglo XVIII, se publicaron numerosos tratados sensacionalistas que avisaban a masturbadores y onanistas de los terribles castigos que les esperaban por frustrar el fin del matrimonio con una «retirada criminal e inoportuna». Cuenta Angus McLaren que, en ese tiempo, se vendieron más de diecisiete ediciones de una obra de ese tipo titulada *Onania*.

EL CABALLITO FRANCÉS

En el año 312 a. C. y siendo cónsul Valerio Máximo, el censor Appio Claudio el Ciego mandó construir el primer acueducto que llevaría agua a la ciudad. También, en 1858, durante el reinado de Isabel II, Bravo Murillo construyó el canal que lleva el agua a Madrid y que inauguró con la célebre frase «ya podemos lavarnos casi todos».

En España y en una gran parte de Europa, sabemos que las mujeres honestas utilizaron poco el agua durante el siglo XIX y principios del XX. Era pecado tocarse y también desnudarse. Los lavatorios parece que fueron bastante restringidos y relegados al ámbito alegre y despreocupado de cortesanas y libertinos. En los tiempos en que Roma trataba de limpiarse la mancha del gran descenso de natalidad que denunciaron los filósofos y moralistas prohibiendo la contracepción y premiando a las familias numerosas, se cuenta de Cicerón que dictó sentencia condenatoria contra una dama acusada de utilizar métodos contraceptivos. La leyenda dice que Cicerón señaló el famoso acueducto Acqua Appia y preguntó con sorna a la acusada «¿no es esta una de las condiciones indispensables para que las rameras puedan ejercer su profesión?»

Isabel II junto a su pequeña hija, retratada por Franz Xaver Winterhalter. En 1858, durante el reinado de Isabel II, Bravo Murillo construyó el canal que llevaba el agua hasta Madrid y que inauguró con la célebre frase «ya podemos lavarnos casi todos».

155

Debe ser una leyenda porque aquel acueducto se construyó bajo tierra, pero lo que nos interesa es comprobar la asociación del agua con la prostitución y el libertinaje. Los lavatorios y abluciones con soluciones astringentes se han venido empleando, como hemos visto, desde hace muchos siglos, llegando incluso a utilizar jeringuillas para insuflar tales soluciones en el canal vaginal. El siglo XVIII facilitó estas prácticas inventando el bidé, llamado así porque su forma y la postura que requiere recuerdan la grupa de un caballo.

En 1739, Rémy Pèverie, un ebanista francés, fabricó el primer bidé con maderas nobles, como un objeto de lujo que tuvo entre sus primeros usuarios al rey Luis XV y a sus favoritas, porque no solamente sirvió para eliminar de la vagina el semen eyaculado en el coito, sino que también se empleó como objeto higiénico.

Cuenta Casanova que una célebre cortesana francesa, la Gourdan, guardaba en su casa una gran cantidad de los llamados «capotes de Inglaterra», a los que describe como «una especie de capuchones que se oponen a los rasgos venenosos del amor pero que solo borran los del placer». En lo que a la historia del bidé se refiere, también dice que se encontró en casa de la Gourdan una «silla de limpieza», un pequeño mueble de guardarropía.

A partir de 1750, se fabricaron bidés con respaldo e incluso con jeringa para los lavatorios poscoitales. Algunos se disimulaban entre los muebles de usos «más serios», como el costurero o el escritorio. Los ebanistas los construyeron con esta característica, siguiendo el diseño de un tal Cochoir, lo que significa que el adminículo ya había traspasado el ámbito de las casas de lenocinio para adentrarse en las viviendas familiares.

El bidé, un elemento higiénico, ha sido también objeto de ataque por parte de algunos moralistas, al asociarlo a la contracepción y a la prostitución.

Otro de sus usuarios reales fue Napoleón, que volvió a poner de moda el bidé después del periodo de retraimiento de la Revolución francesa. Pero también los moralistas se opusieron a tal objeto, que también se empleaba como anticonceptivo y, para impedir su difusión, lo asociaron a la prostitución, de forma que las gentes empezaron a rechazarlo como objeto de perversión. Actualmente, el bidé se considera un objeto impúdico en los Estados Unidos. Los soldados americanos lo descubrieron en los lupanares franceses durante la Segunda Guerra Mundial y llevaron a su país la idea que siglos atrás lanzaran los moralistas y que, como vemos, se remonta a Cicerón. Durante los años cincuenta y sesenta, en que las tropas de la 16 Fuerza Aérea se establecieron en bases militares españolas, como Zaragoza, Rota o Torrejón de Ardoz, los norteamericanos que vivían en pisos de alquiler solían poner en el bidé flores o peces, para disimular su función.

La píldora y sus detractores

Como la mayoría de los grandes descubrimientos, la píldora anovulatoria se descubrió por casualidad. Desde el siglo XIX se conocía el efecto que ciertas hormonas ejercen sobre los óvulos, reduciendo su producción, pero fue en la década de los treinta del siglo XX, cuando Rusel Marker, un profesor de química norteamericano que estaba de vacaciones en Méjico, tuvo la idea de ponerse a experimentar con esteroides vegetales y, probando con uno de estos esteroides, la diosgenina, que se encuentra en una variedad del ñame mejicano, dio con un proceso químico que la transformó en progesterona, una hormona que únicamente se podía encontrar en ciertos laboratorios europeos y que se empleaba para prevenir abortos y trastornos menstruales. Su obtención era sumamente costosa y no era fácil encontrar financiación para conseguirla.

Pero nuestro profesor de química no se arredró ante la falta de medios, sino que, aprovechando su estancia en Méjico, recopiló grandes cantidades de ñame con lo que consiguió sintetizar 2 kilogramos de progesterona.

Como era de esperar, no faltaron grupos religiosos que se opusieron a las investigaciones que siguieron a este hallazgo y a la posterior producción del inhibidor de la ovulación obtenido del ñame, el contraceptivo oral que se conoce generalmente con el nombre de «la píldora». La primera se comercializó en Estados Unidos en 1960 con el nombre de Enovid y en Inglaterra, en 1961, con el nombre de Anovial. El primero en probar los efectos del inhibidor de la ovulación obtenido del ñame fue, en 1958, el químico Gregory Pincus, que consiguió experimentar con numerosas voluntarias de Puerto Rico. Los resultados fueron espectaculares en cuanto a los efectos del nuevo medicamento, pues no solamente evitaba la fecundación sino que eliminaba los trastornos de la menstruación.

A finales del siglo XIX, hubo grupos contrarios al control de natalidad en los Estados Unidos que llegaron a calificar de obscena cualquier información relativa a los métodos anticonceptivos, algo similar a lo que ocurrió en España en los años cincuenta y sesenta. En los cuarenta, sencillamente, no existían.

A principios del XX, una enfermera de un centro de maternidad de Manhattan tomó conciencia del elevado número de abortos voluntarios inducidos y de nacimientos de hijos no deseados que se producían. Como todos los pensadores que han observado tales situaciones a lo largo de la Historia, dedujo que la mejor solución a tal estado de cosas sería la planificación familiar. Su nombre era Margaret Sanger y fue, como dijimos anteriormente, quien acuñó esa expresión en 1914.

Ella fue quien animó a Gregory Pincus a continuar y quien patrocinó la experimentación que cristalizó finalmente con el lanzamiento de la píldora anticonceptiva. Ella fue la primera que abrió en Estados Unidos una clínica de planificación familiar, en Nueva York, en 1916, después de haber viajado a Europa para conseguir la información necesaria. Publicó esa información en una revista que ella misma hubo de crear. Sin embargo, todos sus esfuerzos tropezaron con la oposición de los grupos puritanos y conservadores que venían demonizando la contracepción desde tiempo atrás y que consiguieron no solamente el cierre de la clínica, sino el secuestro de las publicaciones y el encarcelamiento de la propietaria.

Afortunadamente, también hubo movimientos en pro de la planificación familiar e incluso el Tribu-

Margaret Sanger fue la impulsora del movimiento
de planificación familiar que surgió en los Estados Unidos a
principios del siglo XX. Abrió la primera clínica de control
de natalidad. A causa de la presión de los opositores,
sufrió persecución y cárcel.

nal de Apelación aceptó que los médicos pudiesen recetar y facilitar a las mujeres profilácticos y medicamentos exclusivamente para uso terapéutico, nunca encaminados a la contracepción. Algo similar a lo que ocurrió siglos atrás con el aborto y, también, con algunas recetas contraceptivas que ya dijimos que se confundían a menudo con las abortivas.

La píldora es probablemente el contraceptivo que mayor cantidad de ciencia ficción ha despertado, después del coito interrumpido o la masturbación, si es que se la puede considerar un método anticonceptivo. Cuando se inició su venta, sus numerosos detractores la hicieron responsable de las mayores atrocidades que se pueden suponer, desde la posibilidad de causar cáncer, anemia, infertilidad hasta acusarla de producir sobrepeso o hirsutismo.

La revista *Consumer* de Eroski publicó el 26 de septiembre de 2008 que, en 2005, la Agencia Internacional de Investigación en Cáncer, que depende de la Organización Mundial de la Salud, había admitido que los anticonceptivos hormonales combinados, que son los de uso más común, pueden llegar a ser cancerígenos por sus efectos secundarios. Sin embargo, hoy sabemos que la píldora reporta muchos beneficios al organismo femenino, además de ser el contraceptivo más seguro, después de numerosos estudios llevados a cabo por expertos de diferentes países. Entre ellos está precisamente el de reducir el riesgo de sufrir cáncer epitelial de ovario[12].

---

[12] En octubre de 2008, la revista médica *Jano* anunció la publicación del primer libro en lengua española que detalla todos los beneficios que reporta la píldora anovulatoria, aparte de la contracepción. Su título es *Beneficios de la píldora* y sus autores son un grupo de médicos del Equipo Daphne, los doctores Dueñas, Lete, Serrano, Pérez Campos, Martínez Salmeán, Coll y Dova.

Aquí no vendemos esas cosas

En los años sesenta, algunos ginecólogos españoles recetaban la píldora a sus pacientes, ya fuera para corregir problemas ginecológicos o bien, incluso algunos, como anticonceptivo. Ya hemos dicho anteriormente que los confesores negaban la absolución a quienes la emplearan con esa finalidad y que muchos matrimonios la empleaban y, simplemente, obviaban confesarlo.

Sin embargo, en muchas ocasiones, la portadora de la receta médica no conseguía que el farmacéutico le expendiese el medicamento. «Aquí no vendemos esas cosas», solía ser la respuesta.

La objeción de conciencia de estos farmacéuticos de los sesenta parece haberse extendido hoy a los preservativos, que, como sabemos, no solamente se emplean para prevenir el embarazo, sino para prevenir enfermedades de transmisión sexual.

La anteriormente mencionada encíclica *Humanae Vitae* hace hincapié en la doctrina cristiana sobre el amor entre esposos y la finalidad del matrimonio y sobre las reglas del control de la natalidad, sentando el principio de paternidad responsable, es decir, la decisión de los cónyuges de procrear o de no procrear, según el orden moral establecido por Dios y que está implícito en la naturaleza humana. La ley natural, por tanto, es la que señala a los cónyuges cuál ha de ser su conducta según la responsabilidad derivada de su función paternal.

Y ¿cuál es esa ley natural? La ley de vivir la virtud, es decir, la de ejercer la castidad voluntaria dentro del matrimonio. Toda otra forma de eludir la concepción es una falta de respeto a la Naturaleza, ya que la Naturaleza manda que cualquier acto sexual debe estar encaminado a transmitir vida,

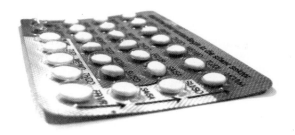

La píldora anovulatoria fue la auténtica revolución entre los muchos métodos contraceptivos existentes, pero tuvo numerosos detractores, sobre todo, la Iglesia. En España, muchos farmacéuticos se han negado a expenderla, a pesar de venir recetada por un médico.

como dijimos anteriormente. La decisión de utilizar anticonceptivos implica, además, una mentalidad contraria a la vida, ya que considera que el posible fruto de la relación sexual es un enemigo a rechazar. Sin duda, el papa olvidó que es precisamente la Naturaleza la que pone en marcha el impulso sexual en el ser humano, con independencia de que se encuentre en etapas fértiles o infértiles, reservando para los animales la exclusividad del impulso genésico en etapas fértiles.

En su encíclica, Pablo VI alentaba también a los profesionales de las ciencias de la salud a considerar su conciencia cristiana por encima de todo interés humano y les animaba a recopilar toda la información necesaria para poder aconsejar sabiamente a los matrimonios que lo precisaran. Más tarde vendría Juan Pablo II, con su *Evangelium Vitae*, a señalar que «el aborto y la contracepción son frutos de la misma planta», como hemos visto que sucedió en la Antigüedad.

La objeción de conciencia que la Iglesia recomienda a los profesionales de la salud cristianos
abarca diversos productos anticonceptivos, precisamente algunos de los que la legislación española
obliga a tener y expender en las farmacias, cuando
son considerados medicamentos. Sin embargo, algunos de ellos, como la píldora anovulatoria, pueden
actuar en ocasiones como un abortivo precoz y,
además, pueden tener efectos secundarios, lo que
puede ser el argumento de objeción de conciencia
del farmacéutico para expenderla.

En cuanto al preservativo, en España está orde-
nado como producto sanitario, no como medicamento, pero como no se expende exclusivamente en
farmacias, sino a través de muchos otros medios, los
farmacéuticos no tienen necesariamente que verse
vinculados a su venta. Además, algunos estudios
señalan que su eficacia como protección frente a
enfermedades de transmisión sexual no va más allá
del 70 por ciento. El farmacéutico puede por tanto
objetar que el medio, la píldora o el preservativo, no
es proporcional al fin que persigue, toda vez que son
productos que sirven también a un fin perverso que
es la contracepción, algo con lo que el profesional
cristiano no debe colaborar (Pau Agulles Simó, *La
objeción de conciencia farmacéutica en España*).

Respecto a la otra píldora, la del día siguiente,
que surte efecto anticonceptivo tomándola hasta 72
horas después del coito, impide que el óvulo
descienda al útero y, si ya ha descendido y ha sido
fecundado, evita que se implante en las paredes
uterinas y que llegue a formarse un embrión.

Por estas razones, tiene también sus partidarios
y sus detractores. Los partidarios aducen que,
aunque el óvulo haya descendido y haya sido fecundado unas horas antes de tomar la píldora, no se
puede considerar la existencia de un ser humano,

Condón de 1813 con su manual de instrucciones que no menciona la contracepción, sino la protección contra enfermedades venéreas.

mientras que los detractores aseguran que se trata de un verdadero aborto. No olvidemos que la Iglesia ya hace tiempo que modificó su doctrina acerca de la animación del embrión, tanto si es varón como si es mujer.

Todos los argumentos que sirven de base a la objeción de conciencia y, sobre todo, a la recomendación de los grupos contrarios a los anticonceptivos conducen a establecer que la mejor estrategia para evitar los embarazos no deseados es la abstinencia periódica y, para evitar el contagio de enfermedades, limitar las relaciones sexuales al ámbito del matrimonio.

5

De la gorra inglesa
al condón invisible

Mas yo quiero del todo asegurarte,
facilitando del condón el uso;
feliz principio a esta artimaña puso
de un fraile la inventiva, que de un fraile
solo, o del diablo, ser invención pudo.

Nicolás Fernández de Moratín,
El arte de las putas.

Según cuenta Nicolás Fernández de Moratín en *El arte de las putas*, no fue el médico de Carlos el Insaciable quien inventó el profiláctico que lleva su nombre, ni fueron los médicos egipcios o minoicos quienes por primera vez proveyeron a sus reyes de fundas protectoras para los sagrados penes, sino que tal invento corresponde, con seguridad, a un fraile.

Un fraile de exacerbado apetito sexual que, habiendo tropezado en su camino con una meretriz que sin pudicia le ofrecía sus encantos, se acercó a ella deseoso, arremangados los hábitos. Pero cuando fue a introducir su erecto miembro en la vulva femenina, en lugar de encontrar un vergel florido encontró una cueva renegrida de podredumbre y peste. Y, para eludir tan repugnante contacto y evitar asimismo introducir las bubas en el convento, discurrió hacerse un escudo con los ropajes sagrados y, sin más dilación, se arrancó la capucha y se cubrió con ella el miembro. Así pudo penetrar a la prostituta sin riesgo de contagio, no obstante las protestas y gritos de dolor de ella, no habituada a tales asperezas. Y fueron los ingleses quienes posteriormente pulieron y refinaron el invento y lo convirtieron en una «sutil membrana», obligando a las prostitutas a ofrecerlo a sus clientes bajo multa.

Materiales naturales y materiales nobles

Fuera quien fuera quien lo inventó, lo cierto es que el preservativo se ha venido utilizando desde hace muchos siglos. Los primeros condones se confeccionaron con vejigas y pulmones de pez, algo que, de ser cierto, no parece muy fácil encontrar. Los griegos utilizaron intestinos de rumiantes, por ejemplo, de cabra; los chinos, papel de arroz aceitado o encerado; y los japoneses, fundas fálicas construidas con caparazones de tortugas, asta o cuero. Nadie se explica cómo pudieron extenderse tales artilugios, aunque hay que considerar que los de cuero resultaban mucho más flexibles y suaves que los de carey o marfil.

Pero los materiales que prevalecieron a lo largo de los siglos fueron tripas de animales, ya fueran corderos, cerdos o terneras, solos o mezclados con materiales más nobles como el lino, la seda o el terciopelo, hasta que un día se descubrió que aplicando cierto tratamiento a la savia de un árbol llamado *hevea brasiliensis*, se convertía en un producto que hoy conocemos como látex.

Pero ahí no paró la evolución del preservativo, sino que continuó adaptándose a los tiempos, a las

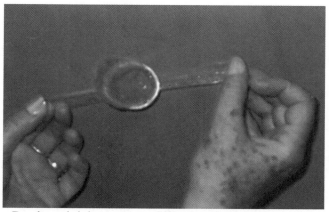

Desde su inicio como profiláctico, el condón ha vivido
diferentes etapas sociales, ha evolucionado y hoy se
vende incluso con alitas.

costumbres sociales y, sobre todo, a las necesidades
sanitarias, porque también ha sabido adecuarse a los
problemas de nuestro tiempo y pronto apareció el
poliuretano para evitar las alergias que el látex
producía a algunas personas. Después vinieron resinas y polímeros sintéticos para confeccionar algo tan
delicado como el condón con alitas. Y ya está en
experimentación lo más novedoso: el condón invisible.

SEXO CON SESO

Todas las terribles amenazas que los moralistas,
tanto eclesiásticos como seculares, han venido
lanzando contra los masturbadores y los fornicado-
res, asegurándoles los males más espantosos si
persisten en sus diabólicas prácticas, se han estre-
llado siempre contra la lógica aplastante del pueblo,

resumida en la respuesta de un campesino alemán: «si eso fuera cierto, todo el mundo estaría enfermo».

Así fue antes, así es ahora y así continuará. Prueba de ello es que, a pesar de la última amenaza, ya no mística ni supersticiosa, sino científica y real, el SIDA se sigue extendiendo por el mundo. La revista médica *Jano* publicó en junio de 2008 un informe de la ONU sobre el continente africano, que pone de manifiesto que, desde el año 2000, se han producido en África casi 14 millones de muertes por SIDA, una enfermedad que no solamente mata en muchos lugares del mundo, sino que también estigmatiza y discrimina a quienes la sufren, muchas veces debido a ignorancia o a superstición promulgada por organizaciones pseudocientíficas o religiosas, que le atribuyen procedencia mística como castigo divino o advertencia apocalíptica.

Y no solamente el SIDA, sino otras enfermedades venéreas. En julio del mismo año, la citada revista médica dio a conocer los resultados de un nuevo estudio de la Universidad de British Columbia (Canadá), realizado acerca de los peligros de padecer enfermedades de transmisión sexual entre personas que confiaban plenamente en la fidelidad de su pareja. Más del 70% de los participantes dijo que consideraría «segura» a una pareja por el hecho de ser fiel, lo cual no deja de ser un argumento subjetivo, si esa percepción no va acompañada de un conocimiento profundo de la otra persona, de su vida anterior a la relación de pareja y de pruebas médicas, ya que no se trataba de medir la fidelidad o infidelidad, sino el riesgo de contagio. También dijo Casanova que la prudencia y el amor son dos cosas que rara vez van juntas.

Sexo con Seso es el nombre de la campaña que lleva cinco años tratando de sensibilizar al mundo sobre los problemas que acarrean el embarazo no deseado y, sobre todo, la falta de prevención en las relaciones sexuales de riesgo, promocionando la formación sexual y anticonceptiva entre los jóvenes. En 2007, el estudio de opinión realizado al respecto recogió que el 80% de los jóvenes reconoce echar en falta educación de este tipo en sus centros de enseñanza.

LAS ENFERMEDADES QUE PROCURA VENUS

«Venéreas» es una palabra que procede, como no podía ser de otra manera, de Venus, la diosa del amor en muchas religiones. Venéreas se llama, por tanto, a las enfermedades de transmisión sexual.

Hemos dicho que el condón se utilizó hasta no hace mucho exclusivamente para prevenir infecciones, ya que los hombres se preocupaban por su salud y la contracepción era generalmente una cuestión de la que se ocupaban las mujeres que eran, al fin y al cabo, las que tenían que bregar con la prole.

La enfermedades venéreas se conocen desde tiempos remotos. Unas veces se han considerado un castigo de la divinidad de turno por las conductas licenciosas de quienes las padecían y otras veces se han visto simplemente como lo que son, el resultado de una relación sexual con una persona poco fiable desde el punto de vista de la higiene, generalmente, una prostituta.

Son muchas y muy diferentes las enfermedades de transmisión sexual, pero ha habido tres que han dejado señal en la historia de la Humanidad porque se han convertido en epidemias: la gonorrea, la sífilis y el SIDA. Las tres han determinado la invención y el uso del preservativo en diferentes épocas de la Historia, porque han afectado a todos los estratos sociales y han dado lugar a episodios que han modi-

Así dibujó
Alberto Durero
la sífilis en
1496.

ficado la opinión pública sobre diferentes personajes, como la sífilis que afectó a varios papas y que hizo asociar la enfermedad al papado, las epidemias de gonorrea que diezmaron poblaciones en Europa y América o, más recientemente, el SIDA que ha afectado a personas populares, reconocidas o incluso míticas.

En el siglo XVI, cuentan Julio y Silvia Potenziani que la sífilis era tan común que Erasmo de Rotterdam llegó a declarar que «un hombre noble que no padezca sífilis, o no es demasiado noble o no es demasiado hombre». El papa Julio II, por ejemplo, que tuvo tres hijos, no permitía que le besaran los pies, una forma muy común de rendir pleitesía en su tiempo, debido a las úlceras que padecía como consecuencia de la sífilis contraída durante las guerras que mantuvo contra el rey de Francia. No en vano se le ha llamado el Papa Guerrero y él mismo reconoció, a las puertas de la muerte, que había sido mejor soldado que vicario de Cristo.

La gonorrea aparece en numerosos libros antiguos que la relacionan con el comercio carnal y que imponen normas higiénicas sexuales, como los *Tratados médicos* que se escribieron en China hace 4500 años, en tiempos del emperador Ho Ang Ti; el *Código de Hammurabi*, escrito en Mesopotamia hace más de 4000 años; el *Papiro de Brugsch*, escrito en Egipto hace unos 2350 años y el *Papiro de Ebers*, de 1550 a. C., describen el tratamiento para la uretritis aguda, a base de instilar aceite de sándalo; la *Biblia*, concretamente, el *Levítico*, considera impuro al que padece flujo seminal; los tratados hipocráticos y galénicos describen claramente los síntomas de enfermedades venéreas y su tratamiento. De igual modo las describieron los médicos romanos.

En el año 460 a. C., Hipócrates de Cos no solamente describió las enfermedades que ya aparecían en los textos egipcios y hebreos, sino que explicó las lesiones genitales que siguen al contacto sexual y a las que dio el nombre de «estranguria», nombre que tiempo después Galeno cambió por «gonorrea».

Los médicos musulmanes de la Edad Media señalaron que las afecciones venéreas se contraen por contacto sexual con personas inmundas. De esa época hay numerosos tratados médicos que aconsejan lavarse los genitales con agua y vinagre, incluso con la propia orina, después de un coito sospechoso de infección, lo que hoy llamamos una relación de riesgo. La orina, como la saliva, la leche de mujer y otros productos humanos, se consideraban de alto valor terapéutico.

Avicena, siempre claro y contundente, advirtió que no debía mantenerse contacto sexual con mujeres que «dejasen caer líquidos de la vulva»; el *Libro menor del coito* de la Escuela de Salerno imputa los abscesos con supuración en la región lumbar o el

173

eccema en la vejiga o en el pene a posturas coitales inadecuadas, por lo que recomienda evitar, por ejemplo, que la mujer se sitúe encima del hombre, asumiendo la posición de este. No es, en absoluto, una recomendación de carácter moral, sino puramente higiénica. De higiene equivocada, como tantas otras.

También se encontraron tratamientos para «individuos con sangre y pus en la orina» en los textos aztecas del siglo XIV, a base de hierbas mezcladas con miel formando una pasta que se aplicaba al pene (Julio y Silvia Potenziani, *Historia de las enfermedades venéreas*).

EL MAL FRANCÉS

Las llamadas «campañas de la fornicación» que llevó a cabo el rey Carlos VIII de Francia en territorio italiano tuvieron como resultado, entre otras cosas, la expansión de la sífilis, que, desde entonces, se denominó «mal francés» o «morbo gálico», castellanización del latín *morbus gallicus*, que fue el nombre que dio Jerónimo Fracastoro a esta enfermedad.

No faltan autores que han señalado a los indígenas de América como origen de la entrada de la sífilis en Europa, agregada al bagaje y a las prebendas de los conquistadores. Y comoquiera que en el siglo XV Nápoles, unas veces de hecho y otras de derecho, formaba parte de la corona de Aragón, los españoles procedentes de la América recién conquistada contagiaron la sífilis a los napolitanos y después se extendió por toda Europa con las guerras. Gonzalo Fernández de Oviedo, autor del siglo XVI que fue Gobernador de Castilla del Oro en Panamá, la llegó a llamar «enfermedad de las Indias» y a calificarla

LA GUERRA DEL YESO

La campaña de la fornicación también se llamó la «guerra del yeso» porque los soldados franceses no tuvieron que luchar, sino simplemente marcar con yeso las puertas de las casas italianas requisadas. Fue una invasión pacífica, puesto que los napolitanos, sobre todo las damas, abrieron de par en par sus puertas a los franceses, convencidos de que las tropas de Carlos VIII venían a liberar Nápoles de los españoles, es decir, del papa Borgia (un papa no italiano les parecía un insulto) y de la dinastía de Aragón que reinaba en Nápoles. Por eso los recibieron con fiestas y jolgorio, que más tarde se convirtieron en pesadilla, porque el rey francés no fue a liberar Nápoles, sino a conquistarlo.

de regalo maldito de América a la Europa sana y culta, una forma de culpar a los indígenas americanos de todo cuando de malo ocurrió, lo que es una opinión compartida por cuantos consideraban que los indios no eran seres humanos, sino seres irracionales e inferiores. Algo similar a lo que sucedió después con los negros africanos llevados a América como esclavos.

Otros opinan que fue al revés. Los conquistadores llevaron no solamente la sífilis, sino otras enfermedades que los indígenas americanos desconocían, como la viruela. Precisamente, lo .que vino de América no fue la enfermedad, sino, como veremos después, su remedio.

En todo caso, es importante saber que esta enfermedad recibió diferentes nombres que la imputaron, en cada lugar, al enemigo de turno. Así, en Francia, se llamó «enfermedad italiana», mientras que en Inglaterra, Alemania y España se conoció como «mal francés»; los japoneses la denominaron «enfermedad portuguesa» y los rusos «mal polaco»; los turcos la llamaron «mal de los cristianos» y los portugueses «mal de los castellanos»; y así sucesivamente, según explica Melchior Woehr en su libro *Historia de la expansión y terapéutica de la sífilis.*

Según los partidarios de la llamada Teoría Precolombina, los primeros escritos médicos que mencionan la sífilis tal cual hoy la conocemos datan de antes del descubrimiento de América, concretamente, de 1490, cuando la describieron el alemán Grünspeck, el italiano Leoniceno y el español Torrella. La descripción de estos tres sabios no fue por casualidad, sino el resultado de numerosos debates e intercambio de pareceres entre los médicos del siglo XV, encaminados a distinguir las diferentes fiebres llamadas pestilentes, que comprendían la peste, el cólera, el tifus, la malaria, etc., y que terminó con la diferenciación de la sífilis.

Cuentan que el impulso para el estudio de la sífilis provino de César Borgia, que la padecía; otros señalan a Lorenzo el Magnífico, que vivió entre 1449 y 1492, de quien se cuenta que, cuando subió al lecho nupcial en presencia de amigos, como era las costumbre en su época, los testigos de la consumación de su matrimonio pudieron observar que tenía ampollas y manchas en las piernas. Su esposa Magdalena falleció mientras daba a luz a su único hijo y él murió precozmente en 1492, el mismo año del descubrimiento de América, a los 43 años de edad.

Nicosio Leoniceno describió la enfermedad como pústulas originadas por diversas formas de corrupción del aire que aparecen primero en las partes pudendas y después por todo el cuerpo, junto con dolores fuertes generalizados.

Incluso existen descripciones que muchos autores asocian con la sífilis en la obra del médico persa Rhazes, que vivió en Bagdad en el siglo X, acerca de una enfermedad venérea a la denominó *apostameta et ulcera que virgae accidant*. El famoso *Tratado de Trótula* de la Escuela de Salerno, del siglo XI, describe la gonorrea y explica los síntomas externos de la sífilis, incluyendo la gonorrea como parte de la clínica de esta enfermedad, una creencia extendida entre los médicos medievales.

Pero fue Jerónimo Fracastoro, médico de Verona que vivió entre 1478 y 1553, el primero en esbozar una teoría racional de la naturaleza de las infecciones, en su descripción magistral y didáctica de la sífilis (Julio y Silvia Potenziani, *Historia de las enfermedades venéreas*).

En aquella época, todavía no había terminado de cuajar el pensamiento científico y la medicina era mixta, es decir, combinaba la ciencia con la superstición. Todas las fiebres pestilentes se imputaban a conjunciones astrales funestas que causaban la corrupción del aire y este, a su vez, corrompía los humores del organismo. En 1498, se publicó en Alemania el libro *Contra las malas pústulas y el régimen pestilente*, pero todavía no se sabía cómo tratarlas.

A mediados del siglo XVI se empezó a impartir un tratamiento tan eficaz como peligroso, una pomada a base de mercurio, con la fórmula elaborada por Berengario da Capri. Su aplicación debía ser tan molesta que se le llegó a conocer como «el martirio del mercurio» al que había que someterse de por vida, por un solo pecado venéreo. Parece que Robert Schumann, el gran compositor austríaco del Romanticismo, murió a causa del tratamiento de

SYPHILO Y LA SÍFILIS

El nombre de sífilis procede del nombre del pastor que protagonizó un poema de Jerónimo Fracastoro, Syphilo, a quien Apolo infligió un terrible castigo por llevar una vida disipada y llena de vicio. Su castigo fue una enfermedad nueva, desconocida y terrible, la sífilis.

mercurio que le aplicaron para curarle la demencia sifilítica que padecía.

Pero, afortunadamente, llegó de América recién descubierta la madera de guayaco o palo santo, con la que se elaboró un tratamiento a base de infusiones y píldoras que no entrañaba peligro, aunque también se aplicaba inyectándolo en la uretra con una jeringa de marfil. Ambrosio Paré, considerado padre de la Cirugía, recomendó el palo de guayaco para el tratamiento de la sífilis y la gonorrea.

Es curioso saber que Avicena, el médico persa del siglo IX que citamos anteriormente, explicó en su *Canon de la Medicina* el tratamiento para cierto tipo de erupciones cutáneas que se manifiestan como pequeño botones que se ulceran y luego supuran veneno. Finalmente se cubren de costras. El remedio que señaló Avicena es la llamada «tierra de plata viva» que hoy conocemos como mercurio. Sin embargo, Danielle Jacquart y Claude Thomasset señalan que algunos autores han creído encontrar una descripción de la sífilis en la obra de Avicena, cuando solamente parece tratarse de una dermatosis o una urticaria que bien se podría infectar dadas las

Retrato de Jerónimo Fracastoro.
El nombre de sífilis procede de Syphilo, protagonista de un poema de Fracastoro, que recibió el terrible castigo de una nueva enfermedad por su vida lujuriosa.

El Napolitano

La receta de la pomada, llamada también «Napolitano» por la idea de que la sífilis se había extendido desde Nápoles, consistía en tomar mercurio revivificado del cinabrio, molerlo con trementina, añadir una porción igual de manteca de cerdo fresca y preparar con ello una masa fina y homogénea. Se le podía agregar aceite caliente de laurel, eneldo, manzanilla, cenizas de sarmiento, etc.

condiciones higiénicas medievales. Lo mismo ha sucedido con ciertas pústulas que aparecían en el pene y que causaban insensibilidad, según describieron un médico árabe de Sevilla, Avenzoar, y, ya en el siglo XV, Velasco de Taranta. Según los citados autores, podría tratarse de herpes.

Los tratados que se publicaron a principios del siglo XVI coincidieron en reconocer como origen de la sífilis una conjunción astral negativa, alteración del aire y corrupción de los humores corporales. A nadie se le ocurrió que su origen fuese venéreo, sino que, al asociarla a los franceses, todos se pusieron de acuerdo en que fue en Francia donde se produjo la conjunción maléfica de Júpiter con Saturno en la casa de Marte y que, de allí, pasó a Italia y se extendió por Alemania, también influida por el planeta Marte. El mismo Nicosio Leoniceno, que escribió un tratado erudito sobre la enfermedad, declaró que, siendo de origen divino, probablemente por castigo, nada podían hacer los médicos.

Ya en el siglo XVIII, un médico inglés llamado John Hunter quiso demostrar que la gonorrea se contagiaba a través del pus y, para ello, se inoculó a sí mismo pus procedente de un paciente que padecía gonorrea. Con ello, no solamente se contagió esa enfermedad, sino también la sífilis que su paciente asimismo padecía, sin que hasta entonces se le hubiera diagnosticado. Esto le llevó a creer que ambas enfermedades, sífilis y gonorrea, procedían del mismo virus venéreo. Tiempo después, otro médico, Philip Ricord, probó lo contrario, inoculando pus gonorreico a 2.500 pacientes sin que ninguno de ellos contrajera la sífilis (*Historia Universal de la Medicina,* dirigida por Laín Entralgo).

No obstante, los estudiosos que abogan por el origen americano de la sífilis, partidarios de la llamada Teoría Colombina, como Danielle Jacquart y Claude Thomasset, argumentan que, siendo el agente etiológico de esa enfermedad venérea el llamado *Treponema pallidum*, es en su existencia donde hay que basar la búsqueda del origen y no en descripciones médicas que muy bien pudieran dar lugar a confusión. Ya hemos visto la cantidad de errores que cometieron los médicos medievales.

Por tanto, si hay que buscar la existencia del *Treponema pallidum* (según Mirko Grmek en *Les maladies a l'aube de la civilisation occidentale*), en Europa no se ha encontrado ni una sola osamenta anterior al año 1500 (suponemos que no se han analizado todas) que presentara estigmas indudables de haber sufrido la enfermedad venérea, es decir, treponematosis, mientras que sí se han encontrado restos en esqueletos precolombinos de diversos lugares de América.

A esto, los partidarios de la Teoría Precolombina argumentan que sí se han encontrado esqueletos del Neolítico con lesiones óseas de origen sifilítico. Los partidarios de la Teoría Colombina oponen que los esqueletos hallados en ciudades romanas como Pompeya, muestran lesiones que son características de la sífilis congénita. Congénita significa que no es de transmisión sexual sino hereditaria, dado que, además de la sífilis venérea, existen otros tipos de sífilis: la sífilis endémica, probablemente debida al mismo germen que la venérea, el pian y el caraté (más conocido como mal de Pinto) cuya propagación no se realiza mediante contacto sexual, provocada por gérmenes que se localizan en África y en América del Sur.

Finalmente, Julio y Silvia Potenziani apuntan en su *Historia de las enfermedades venéreas* que en un estudio realizado por la Universidad de Bradford (Inglaterra) entre 1999 y 2000 sobre 245 esqueletos exhumados en el cementerio de una abadía agustiniana del noroeste de Inglaterra, en la que habitaron monjes entre los años 1119 y 1539, se encontraron tres que presentaban signos claros de haber padecido sífilis. La prueba del carbono 14 dató los cuerpos entre 1300 y 1450, es decir, antes del descubrimiento de América. A este resultado se opuso el argumento de que aquellos casos pudieron proceder de contactos con los vikingos, que ya habían visitado América cuando invadieron varios lugares de Europa, entre ellos Inglaterra, a partir del siglo IX. Recordemos que Inglaterra estuvo varias veces gobernada por dinastías de procedencia vikinga.

Fuera cual fuera su origen, afortunadamente, el pensamiento científico hizo sus avances a través del Humanismo y del Renacimiento y, a mediados del siglo XVI, los médicos empezaron a seguir casos de sífilis y a comprobar sus síntomas hasta llegar a la conclusión de que se contagiaba a través de la relaciones sexuales, si bien continuó siendo imprescindible la mediación del aire alterado para que se produjese el contagio (*Historia de la Medicina* dirigida por Pedro Laín Entralgo). Pero, por desgracia, cuando se quisieron tomar medidas para tratar la sífilis como enfermedad de transmisión sexual, ya había epidemias. Es más que probable que muchos de los casos de envenenamiento que hemos leído en la historia renacentista se debieran en realidad a sífilis, debido a la sintomatología de esta enfermedad.

Jean Astruc, que vivió entre 1684 y 1766 y fue catedrático de Medicina de la Universidad de París y médico de cámara de Augusto II de Polonia y de Luis XV de Francia, publicó en 1736 la más importante de sus obras, un tratado sobre las enfermedades venéreas titulado *De morbus veneris libri*, en el que mencionó las hipótesis de su tiempo sobre los mecanismos de contagio y describió prolijamente el preservativo como medio de prevención, calificándolo de «necesidad desafortunada».

Las enfermedades de transmisión sexual, incluida la temible sífilis, no fueron, por supuesto, males del vulgo, sino que afectaron también a numerosos personajes de alcurnia, como, según ciertos autores, los reyes Carlos V, Francisco I, Carlos IX y Luis de Baviera, contagiado por Lola Montes, así como los papas Alejandro V, Alejandro VI y Julio II, por lo que los médicos tuvieron doble acicate para tratar de curarlas y evitarlas.

Curiosamente, Jean Astruc califica de absurdas y meras imaginaciones sin el apoyo de autoridad alguna a las hipótesis de otros médicos y estudiosos que imputaron la causa de las enfermedades venéreas a «una numerosa cohorte de pequeños y frágiles seres vivos, ágiles e invisibles, pero de naturaleza muy prolífica que, una vez instalados, se desarrollan y multiplican abundantemente; y forman frecuentemente colonias en diferentes partes del cuerpo; que

Una caricatura que muestra al papa Borgia, Alejandro VI,
afectado de sífilis.

inflaman, corroen y ulceran las partes donde asientan». Si todos se hubieran puesto de acuerdo, se hubiera adelantado un siglo la teoría de los gérmenes patógenos que formuló Pasteur en el XIX.

UN ABRIGO CONTRA EL MAL FRANCÉS

No faltan historias ni leyendas que narren el origen del preservativo. Incluso es posible que los que hemos visto utilizar a los personajes de la Antigüedad, como el llamado «condón de Tutankamón» o el del rey Minos, ni siquiera se utilizasen en prevención de infecciones, sino como ropaje litúrgico o ritual, una prenda simbólica como las que los actuales sacerdotes emplean en los ritos religiosos.

En el *Foro Mundo Historia* de Internet encontramos otra de las historias que rodean el surgimiento o el empleo de este utensilio y es la de los soldados romanos, que se fabricaban preservativos con la musculatura de los enemigos a los que habían vencido. No parece que fuese un trabajo sencillo ni útil sino, de ser cierto, más bien un ejercicio simbólico, como algunas tribus indias de América del Norte guardaban los cueros cabelludos arrancados a sus enemigos, los famosos *scalps*. Otro autores, sin embargo, señalan que los romanos fabricaban condones con tripa de cordero y que los utilizaban en sus conquistas, se supone que para violar a las mujeres de los lugares conquistados sin peligro de contagio de alguna enfermedad venérea. Los llamaron «camisas de Venus».

Muchos estudiosos están de acuerdo en que el preservativo más antiguo que se conoce data del año 1640. Según publicó *Ananova* en el verano de 2008, se encontró en Lund, en Suecia y se expuso en el Museo del Condado del Tirol, en Austria, junto con su manual del usuario redactado en latín, que era el lenguaje culto habitual en ese tiempo, señalando que se debe utilizar para prevenir infecciones y que, para tal prevención surja efecto, es preciso sumergirlo previamente en leche caliente. Está fabricado con tripa de cerdo y era, como es lógico, reutilizable siempre que se siguiese la pauta de desinfectarlo con leche caliente.

Sin embargo, otros están más o menos de acuerdo con la fecha y con la fabricación a base de intestino de animal, pero disienten en cuanto al lugar en que se localizó el primer preservativo, que afirman ser Dudley Castle, cerca de Birmingham, en Inglaterra, como residuo de las guerras que mantuvieron entre 1642 y 1646 los soldados del general Cronwell contra los del rey Carlos I Estuardo. Según parece, los últimos residentes de este castillo fueron 200 soldados del rey Carlos que dejaron sus huellas en las letrinas, condones más antiguos que el pretendido invento del Doctor Condom.

El hallazgo de Dudley Castle no se trata, por tanto, de un solo preservativo, sino de algunos fragmentos localizados en los años ochenta del siglo XX. Según publicó el 14 de febrero de 2003 el periódico *The Independent World*, estaban fabricados con tripas de pescado, cosidos cuidadosamente en un extremo y provistos, en el otro extremo, de una cinta de seda para su sujeción. En marzo de 2000, se expusieron por primera vez en el British Museum de Londres.

Lo que sí sabemos con precisión es que la primera descripción clara y científica del diseño, fabricación y empleo del preservativo corresponde al siglo XVI y tiene un nombre: Gabriel Fallopio, un médico italiano que vivió entre 1523 y 1562. Las explicaciones se encuentran en su libro *De morbo gallico*, en el que señala claramente la función del preservativo: prevenir el mal francés, como hemos dicho que se llamaba entonces a la sífilis. Él fue el primero que lo clasificó como «profiláctico». El condón, pues, nació (o renació) en Europa en el siglo XVI, concretamente, en 1560, como protección contra la sífilis.

Gabriel Fallopio, profesor de Anatomía de la Universidad de Padua, es sobre todo conocido por su descubrimiento de la función de los conductos que llevan su nombre, las trompas de Fallopio, que conectan los ovarios con la matriz, cosa que se sabía desde antiguo, pero a la que se le habían imputado funciones tan absurdas como el movimiento para la captura del semen. El primero que averiguó para qué servían los antes llamados «cuernos del útero» fue Fallopio. Fue el primero que estableció una relación clara entre el clítoris y la sensibilidad al placer sexual. Y también fue el primero que, como dijimos, publicó un tratado médico en el que expone la necesidad de protegerse frente a la sífilis mediante el uso del preservativo.

El invento de Gabriel Fallopio, el «abrigo» como se conoció popularmente, consistió en una funda fina de lino, permeable, por cierto, que se ajustaba al glande y quedaba sujeta por el prepucio. Esto obligó a inventar posteriormente otro tipo de sujeción para los circuncidados, a base de una cinta rosada y con veinte centímetros de longitud.

En su libro sobre la sífilis, Fallopio prescribió empapar el capuchón de tela en una decocción de hierbas astringentes, aplicar esta prescripción varias veces y conservarlo después en una bolsa que se llevaría en el bolsillo del chaleco. Además, comprobó experimentalmente el resultado de su «abrigo», haciéndolo probar a 1.100 hombres, nin-

Gabriel Fallopio fue el padre del preservativo. A él debemos la primera descripción clara y científica del diseño, fabricación y empleo del condón.

guno de los cuales contrajo la sífilis ni enfermedad venérea alguna.

En su libro *La Prostitution du XIII au XVII Siècle*, publicado en 1908 en París, dice el médico francés Louis Le Pileur que después del invento de Fallopio, el preservativo apareció en Inglaterra en una obra de Daniel Turner sobre la sífilis, publicada en Londres en 1717, que señalaba que, aunque lo mejor fuera el condón, no era sin embargo el único preservativo que empleaban los libertinos ingleses.

TELARAÑA CONTRA LA ENFERMEDAD

Los condones se hicieron a mano y a medida durante mucho tiempo, porque no se comercializaron masivamente hasta el siglo XVIII, cuando hubo ya tiendas en Inglaterra para elegantes y se vendieron, usados y reutilizados, para los pobres que no se podían permitir el lujo de un preservativo nuevo.

En el siglo XVI, todavía eran muy gruesos y molestos, porque se fabricaban con lino y tripa de animal, como el de Fallopio, aunque Hércules Saxonia perfeccionó el invento, creando una funda de lienzo impregnada previamente en una preparación herbal o química y de mayor longitud, de manera que cubría el pene por completo. Fue el primer intento de agregar un espermicida a los preservativos, pero, sobre todo, fue el primer dato claro y objetivo que apunta al doble empleo del condón como profiláctico y como anticonceptivo.

Además de incómodos, se hicieron impopulares porque todavía no se sabía de la existencia de los espermatozoides (descubiertos en 1677 por el microscopista holandés van Leeuwenhoek); ni se conocían las más elementales reglas de higiene ni asepsia (propuestas en 1855 por el médico húngaro Ignaz Semmelweiss); ni se había oído hablar de los gérmenes patógenos (teoría formulada en 1862 por el médico francés Pasteur). Y como nada de esto se sabía, los pocos que podían procurarse un «abrigo de Fallopio» lo utilizaban en repetidas ocasiones, sin siquiera molestarse en lavarlo. Naturalmente, eso dio lugar a tremendos fallos, tanto en lo que se refiere a contagios como a embarazos.

Esta situación continuó produciéndose en el siglo XVII, porque existen cartas de Madame de Sevigné, a la que anteriormente vimos aconsejando métodos contraceptivos a su hija, previniéndola en contra de «esas tripas de res que se ponen los hombres antes del coito, y que son armaduras contra el goce y telarañas contra la enfermedad».

Precisamente, era la mujer la que peor parada salía con el uso de estos profilácticos que, no solamente le causaban molestias sino que, sucios o rotos,

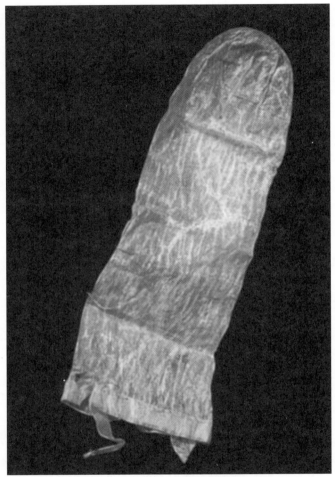

Un condón del siglo XVI.

tampoco le evitaban el embarazo ni el contagio. Las cartas de Madame de Sevigné a su hija han dejado muy claro que lo que debería evitar era la viruela que padecía su esposo y que no debía de fiarse del condón, sino abstenerse de cohabitar con él. En una carta fechada el 11 de abril de 1672, se alegra de que la hija y el esposo tengan camas separadas, pero continúa insistiendo para que no se confíe y evite el contagio. Según Émile Gerard Gailly, que recopiló las cartas que Madame de Sevigné escribió a su hija y a sus amigos y escribió su biografía, M. de Grignan, su yerno, la había contagiado y ella había contagiado a sus hijos, por lo que sufría partos prematuros que debilitaron su salud, hasta el punto de que la madre le escribió para rogarle que dejara a su hija recuperar la salud y que no expusiera su vida. En la carta que le dirigió, le reprochaba habérsela entregado sana y hermosa y que él malgastara su salud y su belleza.

En esa época, los condones se fabricaban con intestino ciego de oveja, se cortaban, se maceraban en una solución salina, se colocaban al vapor, se soplaban, se secaban bien y se embalaban. Su fabricación resultaba muy costosa, se hacía por encargo y por tanto se hallaba solamente al alcance de las personas adineradas, que, como hemos dicho, los reutilizaba siempre. Su precio no permitía «usar y tirar».

Y también parece que continuaba resultando incómodo en el siglo XVIII, porque el médico inglés que antes citamos, Daniel Turner, escribió en 1717 que muchos hombres preferían contraer enfermedades venéreas antes que utilizar la «detestable armadura». Muchos de ellos habían confesado preferir arriesgarse «antes que entrar en liza con una pica tan acorazada». Sin embargo, el escritor escocés James Boswell, también en el siglo XVIII, cuenta los temores que sufrió

El amante cauto, por Nicolas Tassaert. Los fabricantes y usuarios precavidos probaban los preservativos hinchándolos con aire o con agua.

cuando quiso contratar los servicios de una meretriz en Inglaterra y resultó que ella no disponía de preservativos. Terminó dándole un chelín y marchándose sin disfrutar de ella, temblando todavía ante la amenaza de la enfermedad.

En cuanto a la deficiencia de sus resultados, se dice que Benjamín Franklin se hizo fabricar condones especiales o incluso que intentó fabricarlos por sí mismo. Evidentemente, la calidad de los preservativos dejaba mucho que desear o bien el usuario no supo darles el empleo adecuado, porque tuvo 53 hijos ilegítimos, lo que le valió el bien merecido nombre de Padre de América.

LA GORRA INGLESA

Se dice que Carlos II Estuardo, llamado el Rey Insaciable, tuvo tal cantidad de hijos ilegítimos que las arcas reales se llegaron a resentir y que encargó a su médico un dispositivo que impidiera el acceso del real semen al útero de sus numerosas amantes. En 1656, el famoso doctor Condom utilizó una vejiga de animal desecada como las que se empleaban en la fabricación de embutidos, lo que facilitó bromas posteriores acerca de que el invento no se debía al célebre médico sino a un carnicero, a un empleado del Matadero Municipal que tuvo la idea de protegerse con una funda fabricada con las membranas más delgadas de los animales que mataba.

Las bromas fueron posteriores porque el invento se mantuvo en secreto y solamente se conoce por las referencias al doctor Condom y a su invento, halladas en una carta que Lord Belhaven dirigió al escritor Daniel Defoe.

Tras ajusticiar a Carlos I, padre del Rey Insaciable, Cronwell estableció un gobierno puritano en Inglaterra que, naturalmente, prohibió la contracepción, incluyendo el preservativo que por mucho que se utilizara para prevenir enfermedades venéreas, no dejaba de asociarse al comercio carnal ilícito, es decir, sin el objeto de procrear y con el agravante de la prostitución. Cronwell convirtió a Inglaterra en una república (*Commonwealth of England*), pero murió en 1658 después de acumular más poder que el que tuviera en vida el rey ejecutado. La Restauración trajo a Inglaterra al heredero legítimo de la corona, Carlos II Estuardo, que llegó de Francia acompañado de toda la relajación de costumbres de la época. Y para demostrar al mundo que los tiempos del Lord Protector habían pasado para siempre, hizo desenterrar su cadáver, cortarle la cabeza y pasearla clavada en una pica entre el regocijo de los monárquicos y el espanto de los partidarios del político que tan controvertido recuerdo dejó.

El Lord Protector, Oliver Cronwell, se atrevió a ejecutar a su rey, precediendo en más de un siglo a la Revolución francesa. Implantó un gobierno republicano puritano, que prohibió, entre otras cosas, el empleo de anticonceptivos.

Dicen que bien pudo ser Nelly Gwynn, una de las amantes más conocidas del soberano inglés, quien le sugirió protegerse (y protegerla) de contagios o de embarazos. El médico real confeccionó un preservativo con una tripa de oveja bien estirada y aceitada cuyo uso se extendió rápidamente por la corte para disfrute de nobles y cortesanos. Se le llamó popularmente «gorra inglesa» o «capote inglés». Pero, sea o no leyenda la fabricación de condones por parte del médico real, ya dijimos que los que se encontraron en el castillo de Dudley son evidentemente más antiguos, puesto que proceden de la guerra civil entre Cronwell y el padre del Rey Insaciable.

MEJOR QUE NADA

En 1714 apareció una descripción del preservativo en un anónimo publicado en Lieja, titulado *Histoire amoureuse et Badine du Congress et de la*

ville d'Utrech. Parece que todavía las gentes no estaban preparadas para una explicación sin reservas de
la manera en que debían de utilizarse las envolturas
de lino para el pene, con el fin de protegerse de
enfermedades venéreas.

Sin embargo, para el marqués de Sade, las
aventuras extramatrimoniales debían ir asociadas a
las esponjas espermicidas y a los preservativos. Se
cuenta de él que se ponía una tira de tocino en torno
al pene para sodomizar a las gallinas, algo que
parece demasiado simbólico para que pueda resultar
cierto, pero nos da una idea de la sofisticación a la
que pudo llegar la sociedad en su tiempo, una sofisticación que, como es lógico, afectó también a los
preservativos. El marqués de Sade es, en todo caso,
el icono por excelencia del excéntrico que obtiene
el placer a cualquier precio y, como dice Alfred
Savuy, a su lado, el mismo Casanova resulta inge-
nuo.

Hay que comprender que los materiales sofisticados que entonces se utilizaban tenían por fuerza
que mermar el placer, aparte de resultar inseguros,
como denunció Mme. de Sevigné un siglo antes y
como aseguró en el siglo XVIII el propio Casanova,
quien utilizaba «mejor que nada» un preservativo
fabricado con lienzo y tripa de oveja, al que
llamaba su «armadura de seguridad» o su «capote
inglés de montar a caballo», algo que recuerdan los
versos de *La casada infiel* de Federico García
Lorca: «aquella noche corrí el mejor de los caminos, montado en potra de nácar, sin bridas y sin
estribos». Sin embargo, no debía de tenerle mucha
confianza cuando él mismo cuenta que estuvo a
punto de acostarse con una ramera llamada «la
Ratón», pero se abstuvo cuando supo que padecía
una enfermedad venérea. Sabemos, por sus *Memorias* y por ilustraciones de la época, que Casanova

Giacomo Casanova, que vivió entre 1725 y 1798, nos dejó en sus *Memorias* todo un tratado del arte de la seducción, protegiéndose cautamente con su *redingote anglaise*.

no utilizaba un condón sin probarlo previamente, inflándolo con aire o con agua. Fue, sin duda alguna, el amante precavido que Nicolas Tassaert pintó en el siglo XIX. Tan precavido que, cuando le preguntaron si no temía ir al infierno por su vida licenciosa, respondió que dado que los sacerdotes tienen obligación de confesar y absolver a los pecadores, contaba con ello para eludir amenazas ultraterrenas.

LAS REBAJAS DE LONDRES

En 1702, el médico inglés John Marten, dijo haber encontrado un método eficaz para la contracepción y la profilaxis al mismo tiempo: una funda de lino impregnada de un producto cuya fórmula se negó siempre a comunicar, para evitar el contagio venéreo e impedir el acceso del esperma a la matriz, es decir, un preservativo con espermicida como el de los médicos anteriores, pero sin revelar la composición del mismo. Unos datos que nunca conoceremos porque, según parece, posteriormente sintió escrúpulos de conciencia y quemó toda la información que había recabado sobre el preservativo y los resultados de su utilización, para evitar el incremento de una vida disipada entre los jóvenes.

En 1717 existía en Londres una tienda especializada en la venta de preservativos, que surtía a la aristocracia de toda o casi toda Europa. Estaba regentado por dos damas, Mrs. Philips y Mrs. Perkins, que vendieron una cantidad nada despreciable de condones fabricados con tripa de animales y, como no podía esperarse menos del siglo XVIII, forrados de seda y terciopelo.

Ya hemos dicho que todavía no existían condones de «usar y tirar», sino que se adquiría uno y se utilizaba mientras durase. Y como prenda duradera, se podía reparar en caso de rotura, pegando sobre la grieta una tripa nueva.

Se vendían, a principios de siglo, en los prostíbulos londinenses y, a finales, se anunciaban con cartelones publicitarios en tiendas y prostíbulos de París, Berlín o San Petersburgo, aunque siempre con un precio elevado. Como un regalo de postín, cuenta Angus McLaren que, en 1726, Lord Harvey envió a Henry Fox una docena de preservativos para prevenir no solamente el contagio de venéreas, sino la procreación.

Los modelos de lujo, como suponemos que eran los que Lord Harvey regaló a Henry Fox, venían perfumados con aromas florales y embalados primorosamente en cajitas de cristal. Cuenta Casanova que una ramera de Marsella le ofreció «un vestido inglés que le pondría el alma en reposo», algo que él desdeñó «por estar fabricado con materiales ordinarios». Y no consintió en adquirir un preservativo hasta que ella le ofreció otros más finos, que vendía a 3 francos.

Pero los ciudadanos que no podían permitirse adquirir uno de estos adminículos, no tenían que resignarse porque las tiendas de Londres, famosas mundialmente por sus espectaculares rebajas, pronto empezaron a venderlos usados, bien lavados, en sus secciones de Oportunidades y Gangas.

Usar y tirar

En el siglo XIX se fabricaron preservativos de tripa de cerdo, que se ajustaban con una cinta de color. Precisamente se encontraron dos de estos ejemplares perfectamente envueltos en una hoja de periódico de 1857, que algún estudiante dejó olvidados dentro de un libro de medicina del siglo XVI. El libro se encontró al revisar los fondos históricos de la Biblioteca General Histórica de la Universidad de Salamanca y el hallazgo se publicó el 13 de julio de 2008 en diversos medios.

Este tipo de preservativos, fabricados con intestino de oveja y dotados de una cinta para su sujeción, fue descrito en 1816 por Dunglinson, ya que, hasta el siglo XX, los preservativos se confeccionaron en Europa a base de pieles o tripas de animales y seda. Incluso en Francia se publicó cierta propaganda para que las amas de casa aprendieran a fabricar sus propios condones con tripas adquiridas en las carnicerías.

En 1839, a un fabricante de botones para el Ejército de los Estados Unidos llamado Charles Goodyear se le volcó accidentalmente un recipiente lleno de azufre y caucho encima de una estufa. Pronto observó que la mezcla se endurecía y se hacía totalmente impermeable. Agradecido a la casualidad que le brindaba la divinidad, dio a su descubrimiento el nombre de «vulcanización», en honor al dios romano del fuego y la fragua, Vulcano, el habilísimo cojo esposo cornudo de Venus.

Como carecía de medios económicos para comercializar su invento, lo vendió a una empresa y así se creó la compañía Goodyear, hoy muy conocida por los neumáticos.

Pero en lo que a nuestra historia atañe, la vulcanización incidió de manera decisiva en el empleo del preservativo, porque permitió fabricarlos mucho más delgados, elásticos, resistentes y, sobre todo, seguros, aunque el proceso resultó bastante largo.

Los primeros condones de caucho vulcanizado siguieron siendo reutilizables y se vendieron junto con las instrucciones para su lavado y mantenimiento, hasta que se rompieran definitivamente con

Uno de los preservativos encontrados en un libro de
medicina del siglo XVI, envueltos en papel de periódico de
1857, en la Biblioteca General Histórica de la Universidad
de Salamanca. Fotografía por gentileza de la Directora de la
citada Biblioteca, doña Margarita Becedas.

el uso, algo que ya se venía haciendo desde tiempo atrás. Pero después se fueron mejorando con la aparición de nuevos productos químicos que permitían prolongar la vida de los utensilios fabricados, como guantes o condones. Se empezaron a vender masivamente hacia 1844, aunque todavía eran reutilizables.

No sabemos si es historia o leyenda, pero también se dice que el condón de «usar y tirar» lo descubrió por casualidad un empleado de una fábrica que sumergió su miembro en una tina con caucho natural en estado coloide, algo que no parece que pueda achacarse al mero azar. El nombre del empleado de la fábrica es Charles Trojan y esto sucedió en 1921. Sea o no cierta la historia de la «casualidad», lo que sí sabemos con certeza es que los condones desechables de látex se empezaron a comercializar en 1930 y se vendieron masivamente ya en 1940, aunque todavía hubo muchos que continuaron lavándolos, lubricándolos con ungüento de petróleo y guardándolos en cajitas de madera en un lugar seguro de la mesilla de noche.

También sabemos que Charles Trojan creó la compañía Trojan que fabricó y comercializó la mayor cantidad de preservativos del mundo, obteniendo cientos de millones de dólares de beneficio ya en 1999.

Desde el siglo XX se vienen fabricando preservativos con tiras, espirales, colores, estampados, con rugosidades, con cremas retardadoras del orgasmo, con espermicidas, incluso se ha mencionado un tipo de preservativo especial para disfunciones eréctiles, equipado con una cremallera para mantener el pene erguido.

Las alergias al látex trajeron también el condón de poliuretano y el sentido práctico de los tiempos condujo al condón de resina sintética con alitas, que

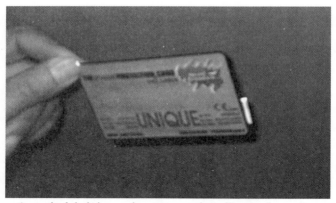

A partir del siglo XX, los preservativos llevan olor, color, sabor y alitas y se empaquetan en forma de tarjeta de crédito para llevarlos en la cartera o en el bolso.

se coloca estirándolas y, además, se puede llevar en la cartera o en el bolso, porque viene embalado en forma de tarjeta de crédito. Fue la revolución del preservativo en el año 2008.

Finalmente, en el siglo XXI, el intestino de cordero, el caucho, el poliuretano y las resinas sintéticas se verán posiblemente relegados por el preservativo invisible, consistente en una sustancia gelatinosa que protege los genitales femeninos y que se encuentra en estudio para determinar si, además de proteger contra las enfermedades infecciosas, previene los embarazos no deseados.

El condón invisible o condón molecular es un gel creado por científicos norteamericanos para proteger a las mujeres del SIDA, ya que libera fármacos anti VIH cuando entra en contacto con el esperma durante las relaciones sexuales. Los estudios incluyen geles, anillos, esponjas y cremas encaminados a proteger a las mujeres en los lugares en que el preservativo masculino no se utiliza bien por estar prohibido, por considerarse tabú o, simplemente, porque los hombres se niegan a ponérselo.

Aún faltan unos cuantos años para que se pueda adquirir en las farmacias. Mientras, no hay más remedio que utilizar el otro, el que inventaron los egipcios, los griegos o los hombres del Paleolítico.

6

Muerte y resurrección del preservativo

Supongo que continuo armado sales
del condón, tu perenne compañero,
y así no ensuciarás los hospitales.

Nicolás Fernández de Moratín,
El arte de las putas.

Algo sucedió entre finales del siglo XIX y principios del XX que llevó a médicos, filósofos y literatos a escribir abundantemente acerca de la reducción de tamaño que sufría la familia occidental después de la Primera Guerra Mundial, preguntándose unos y otros no solamente los porqués de tal movimiento, sino desde cuándo existía aquel interés del primer mundo en restringir los nacimientos voluntariamente. La respuesta tenía nombre: se había inventado la planificación familiar.

El empleo de métodos contraceptivos se extendió a todas las clases sociales, saliendo de los burdeles y de los dormitorios de los libertinos, para alcanzar a las familias y esto se pudo comprobar porque las mujeres dejaron de tener hijos en una edad en la que todavía eran fértiles. Ya no se trataba, pues, de aplicar los métodos del ritmo o métodos naturales ni

ANA MARTOS

siquiera el coito interrumpido, sino procedimientos contraceptivos eficaces o, incluso, abortos tempranos. El hombre había decidido controlar la Naturaleza y regular voluntariamente el tamaño de la familia y esto se aprecia, según afirma Angus McLaren, en que los primeros en limitar el número de hijos fueron los aristócratas, después los burgueses y, finalmente, los artesanos y los campesinos.

Como testimonio, tenemos los textos de Jean Baptiste Moheau, al que se ha llamado «profeta de la despoblación», porque ya en 1778 denunció la pérdida de nuevas generaciones que estaba sufriendo Francia. Calificó en sus obras al casamiento como «una locura fructuosa para la sociedad» y aseguró que las mujeres adineradas y de clase alta no eran las únicas que consideraban que la reproducción humana era «un engaño de los antiguos». Incluso en los pueblos, las campesinas habían aprendido a engañar a la naturaleza.

Entonces, como siempre que ha estallado una nueva filosofía de la vida, el mundo se dividió entre partidarios del ajuste demográfico y partidarios de la población ilimitada. Los llamados nuevos maltusianos defendían que el control de natalidad era la única forma de terminar con la pobreza provocada por el exceso de población, mientras que los opositores asociaban el control de la fertilidad a la promiscuidad y al libertinaje.

EL ARTE DE ENGAÑAR A LA NATURALEZA

Las prácticas contraceptivas e incluso abortivas que se venían transmitiendo desde la antigüedad de generación en generación incluían, como hemos visto, numerosos fallos, que algunas veces se limita-

En el siglo XX, las prácticas contraceptivas se extendieron a todas las capas sociales y las instituciones se ocuparon de la propaganda necesaria para prevenir enfermedades venéreas.

ban a no impedir el nacimiento y otras, por desgracia, llevaban consigo la muerte de la madre.

Como ya hemos dicho, los antiguos tuvieron una idea muy confusa de la diferencia entre contracepción y aborto y en numerosas ocasiones la misma pócima, brebaje o método se utilizaba para conseguir la preñez, para evitarla o para abortar. Eran procedimientos mágicos de nula eficacia.

El método anticonceptivo más utilizado y más antiguo ha sido siempre el coito interrumpido, un sistema que no siempre da los resultados apetecidos, porque el lubricante que segrega el pene para facilitar la penetración puede contener espermatozoides. Es posible que por esto, muchos pueblos no hayan confiado en la seguridad de la «retirada a tiempo» y hayan preferido recurrir al aborto o incluso al infanticidio.

Es interesante la explicación que el ginecólogo francés Jacques-André Millot ofreció en su libro *L'art de procréer les sexes a volonté*, publicado en París en 1800, acerca del motivo de tanto fiasco causado por el coito interrumpido. Siguiendo las teorías de Platón, según el cual, el semen tiene espíritu (pneuma) y trata de salir a la superficie para respirar, este autor francés explica que el espíritu seminal es volátil y puede fecundar a la mujer, incluso sin su voluntad y sin la voluntad del hombre que lo emite, pues mientras que él se esfuerza por no expelerlo, el aura del semen escapa y penetra en el huevo. De esta forma, el hombre se retira tranquilo creyendo que, por su parte, no se ha producido la fecundación, ignorando que la mujer ha concebido.

Otro de los métodos más antiguos que hemos visto son las barreras que impiden el acceso del esperma a la matriz. Pero los espermatozoides tienen larga vida y pueden fecundar al cabo de cuarenta y ocho horas a cualquier óvulo maduro que encuentren en su recorrido e incluso pueden esperarlo cuando llega al útero y dirigirse a él batiendo furiosamente sus largas colas, pues tal es su cometido en la Naturaleza. Además, el moco cervical es alcalino y también sirve para proteger la vida de los espermatozoides de los medios ácidos espermicidas, a menos que sean realmente potentes. Parece que el que mejor resultado dio siempre fue el zumo de limón empapando una esponja.

También se conocen desde antiguo los métodos para expulsar el semen del útero después de haber sido eyaculado en su interior, como las duchas e irrigaciones vaginales o saltos y movimientos que los médicos recomendaban realizar a las mujeres durante y después del coito. Pero un solo espermatozoide es muy capaz de alcanzar la cérvix al cabo de diez segundos de la eyaculación y todos los procedimientos de la mujer se estrellarán contra el empeño de la Naturaleza de seguir su curso.

En cuanto al método del ritmo, también conocido por algunos médicos antiguos como Sorano de Éfeso, fue un fiasco, en primer lugar, porque estaba basado en cálculos equivocados, en segundo lugar, porque la Naturaleza comete menos errores que el ser humano y, en tercero, porque la irregularidad de la mujer tiene innumerables causas no siempre predecibles. Muchos médicos del siglo XIX también cometieron errores, aconsejando esperar diez o doce días después de la regla, cuando ese es precisamente el momento más fértil pues es cuando se inicia la ovulación. Ya hemos dicho que hay autores que aseguran que los errores médicos se cometieron a propósito, bajo la presión de los grupos partidarios de la población ilimitada o bien de poblacionistas aterrados a la vista del descenso acusado de la natalidad. También hubo médicos que construyeron calendarios para señalar los días fértiles y algunos funcionaron como anticonceptivos naturales.

Tantos fallos en los métodos anticonceptivos condujeron a un gran aumento del número de abortos en el siglo XIX, lo que llevó a algunos estados a legislar en contra de las prácticas abortivas y a la Iglesia a condenar e incluso a castigar con la excomunión a quienes las llevasen a cabo, porque las mujeres se negaron a aceptar la nueva idea de que el embrión está animado y es un ser humano desde el momento de la concepción y continuaron abortando en los primeros días, según cuenta Angus McLaren, incluso las más conservadoras y religiosas. Si siempre estuvo inanimado hasta los cuarenta días, ¿por qué de pronto recibía el alma desde el primer momento?

EL INEVITABLE PROGRESO

Los teólogos y moralistas de los siglos XVII a XIX son una magnífica fuente de conocimiento de lo que sucedió en aquellos momentos, ya que dejaron reflejado en sus escritos y reflexiones morales, como hemos visto anteriormente, el sentir y el hacer de la época.

A esto hay que añadir la abundante correspondencia de numerosas mujeres letradas y las publicaciones de memorias de personajes conocidos. Así hemos sabido que, en el siglo XVII, muchas mujeres casadas se confesaron fatigadas de tener tantos hijos y de padecer embarazos tan frecuentes. Hay un texto ya del siglo XIX, *Habladurías de la parturienta*, en plena época que podríamos llamar de recesión del progreso social porque fue cuando volvieron con fuerza la moral cristiana y el puritanismo, en el que una madre describe hasta qué punto se muestra arrepentida de haber dado a su hija tan pronto en matrimonio. Y su arrepentimiento llega precisamente en el momento en que su hija acaba de dar a luz, con grandes dificultades, a su primer bebé. La dama confiesa que si llega a saber lo difícil que iba a ser el parto para su hija, la hubiera dejado «rascarse la delantera» sin casarse hasta que hubiera cumplido los 20 años (Alfred Savuy, *Historia del control de nacimientos*).

Por estas razones y porque, como hemos dicho, el siglo XVIII inventó el matrimonio por amor, separando de una vez el placer de la procreación, junto con la mentalidad práctica de calcular el porvenir económico y social de la familia y de los hijos, todas o casi todas las familias adoptaron el control de la natalidad como un irremediable ingrediente del progreso social. Y aunque, hubo un retroceso temporal, una vez más se cumplió el mito del progreso indefinido, según el cual, el desarrollo científico avanza y no puede volver atrás.

En el siglo XIX, en Inglaterra, hubo un momento en el que se debatió sobre cuál de los dos cónyuges recaería la responsabilidad de la planificación familiar. Como sucedió en los tiempos anteriores, el control recayó sobre la mujer que quedó encargada de emplear irrigadores y esponjas para evitar el embarazo. La idea general fue, como anteriormente, que los hombres eran mucho menos fiables, ya que eran más impulsivos en el amor y, además, tanto el coito interrumpido como el condón les resultaban incómodos.

Las encuestas que recogió en los Estados Unidos la doctora Celia Mosher (famosa por sus hallazgos sobre el síndrome premenstrual), entre 1892 y 1920, también señalaron que más de la mitad de las mujeres prefería la irrigación antes que la retirada o el condón. Allí tampoco las mujeres se fiaban de los hombres y preferían seguir teniendo en sus manos, como recomendaban las feministas, todos los resortes de la planificación familiar.

La planificación familiar triunfó en los Estados Unidos ya en el siglo XX, gracias a los esfuerzos de una enfermera neoyorkina de educación progresista, llamada Margaret Sanger, a la que hemos visto en plena actividad en capítulos anteriores, y que observó las situaciones apuradas que padecían las mujeres de los estratos más bajos de la sociedad, cuando tenían varios embarazos seguidos. Algo que, como vemos, se ha venido repitiendo a lo largo de la Historia.

En 1913, Margaret Sanger viajó a Francia y allí advirtió con sorpresa lo sexualmente avanzadas que estaban las mujeres, pero no las de vida alegre o las de las clases más elevadas, sino las mujeres en general, prácticamente todas y de todas las clases. Cuando volvió a los Estados Unidos acuñó la expresión «control de natalidad», para definir la forma positiva de limitar el tamaño de la familia, algo que vino a reemplazar a la antigua etiqueta del neo-maltusianismo. Escribió un tratado titulado *Family limitation*, en el que describió el empleo de irrigaciones vaginales, preservativos y pesarios, algo que, como hemos visto, viene desde los tiempos antiguos.

Y, lo mismo que sucediera a los promotores ingleses del control de natalidad, el gobierno federal prohibió el libro de Margaret Sanger, lo que la movió a trasladarse a Inglaterra. Allí conoció a otra inglesa, Mary Stopes, una dama procedente de una familia culta de clase media alta y que fue la primera mujer inglesa que recibió un doctorado en paleobotánica. Sin embargo, se interesó más por la fisiología de la reproducción. Publicó un libro titulado *Amor conyugal* que fue un éxito y un escándalo, porque en él se atrevió a decir algo que se venía debatiendo desde la Edad Media y era que la mujer casada tenía tanto derecho al placer como el marido.

Ambas mujeres, la Sanger y la Stopes, debieron tropezar en ideas y métodos porque, aunque fueron colegas, fueron también rivales, pero cada una supo aprender de la otra la manera de sacar partido a sus varias apariciones ante los tribunales para dar a conocer su doctrina de planificación familiar. A pesar de su rivalidad, ambas compartieron la preocupación por la alta mortalidad infantil que se daba en las clases obreras y por la necesidad de que el Estado financiara clínicas y métodos de control de natalidad. Mary Stopes llegó a fundar su propia clínica de planificación familiar en Londres, en1921.

Al llegar el siglo XX, las familias habían reducido su volumen al eliminar los numerosos parientes que antes arrastraban y al controlar la fertilidad con los métodos ya existentes, lo que liberaba del temor al embarazo y minaba los argumentos moralistas y eclesiásticos de la abstinencia periódica.

En Inglaterra, surgió una moda totalmente contraria al sexo pasivo, que ya hemos dicho que era lo que por entonces se esperaba de las mujeres honestas. Consistió no solamente en el derecho al orgasmo, sino en la obligación de obtener la satisfacción sexual, lo que llevó a una situación que se prolongó largamente y que se extendió a los demás países occidentales, divulgando la idea de que las mujeres que no disfrutaban en el coito eran frígidas o, bien, homosexuales latentes. Nadie tuvo en cuenta en aquellos días que la represión sexual largamente sufrida había dado lugar a una limitación del impulso sexual y que una moda no podía hacer cambiar de la noche a la mañana la mentalidad de tantas mujeres acostumbradas a recibir pasivamente y en silencio las expansiones del marido.

En cuanto a la planificación familiar, las mujeres se continuaron preocupando por encontrar métodos contraceptivos seguros. Ya hemos dicho que el coito interrumpido no era fiable porque fallaba con frecuencia y, además, causaba daños morales. Mary Stopes calificó a los preservativos de poco elegantes y antiestéticos y aseguró que las irrigaciones eran potencialmente peligrosas. Para ella lo mejor era el capuchón cervical, que seguía dejando el control en manos de la esposa. En los años treinta, los escritos de Mary Stopes ayudaron a reemplazar en los Estados Unidos los métodos masculinos por métodos femeninos, con la divulgación del capuchón cervical, inventado en 1830.

Sin embargo, tanto el capuchón cervical como el diafragma vaginal requerían los servicios de un medico, lo que limitó su utilización a la clase media, sin llegar a las clases obreras. Para solucionar esta carencia, el belga Fernand Mascaux «inventó» un método barato, a base de un tejido de algodón empapado en vinagre o limón, un procedimiento que hemos visto utilizar a los Egipcios varios milenios atrás. Con el tiempo, la industria de la higiene femenina derivada de los contraceptivos se convirtió, como sabemos, en un negocio multimillonario.

No obstante, a pesar de la evolución de la anticoncepción y de las teorías sobre el control de la natalidad emitidas durante siglos, el concepto de salud reproductiva relacionada con la calidad de vida no se oficializó hasta la celebración de la IV Conferencia Internacional de Población y Desarrollo en El Cairo, Egipto, entre el 5 y el 13 de septiembre de 1994. La Conferencia de El Cairo permitió crear las condiciones indispensables para que la mujer pudiera tomar decisiones de manera responsable, proporcionándole la información necesaria sobre los mecanismos de la reproducción (Gerardo Fernández

Álvarez, *Control de la natalidad: enfoque por diferentes épocas y culturas*).

LAS OCTAVILLAS DIABÓLICAS

Para los moralistas que se pronunciaron contra las prácticas anticonceptivas, su difusión por medio de la propaganda y la generalización de su empleo fue un hecho que favoreció el libertinaje, la promiscuidad y la mala vida. Incluso las ideas promulgadas por Malthus para mejorar la educación y el nivel de vida de las familias se tomaron como una reacción contra el sometimiento a la Naturaleza o, entre los muy religiosos, contra la obediencia a las leyes divinas.

La propaganda a favor de las prácticas contraceptivas se inició en Inglaterra ya en 1776. La primera campaña propagandística de lo que se llamó *British control* se inició en 1823, en un esfuerzo por extender la contracepción por todos los países anglosajones. Una campaña que incluyó la publicación de literatura acerca del preservativo y de sus beneficios.

Ya vimos que entre las sociedades primitivas no hizo falta divulgar método alguno porque todo lo solucionaron con el infanticidio o el aborto. No sabemos si los egipcios propagaron los conocimientos médicos anticonceptivos que hemos leído en los papiros, ni tampoco podemos asegurar que los griegos difundieran su saber entre el vulgo, aunque hemos visto descender escandalosamente sus tasas de natalidad en distintas épocas, igual que las de los romanos, pero es bien probable que los métodos empleados fueran los mismos que los de los pueblos primitivos, el aborto y el infanticidio.

Dice Norman Himes, en su *Historia médica de la contracepción*, que la gente del pueblo confió siempre más en la magia que en la ciencia o pseudociencia y que todos aquellos conocimientos médicos sobre la contracepción debieron quedar en manos de las clases altas.

En la baja Edad Media y en el Renacimiento, la literatura se encargó de divulgar los métodos contraceptivos, como podemos encontrar en el *Decameron* o en los *Cuentos de Canterbury*. Incluso los numerosísimos tratados medievales dedicados al amor y al coito, como los de Andreas Capellanus, Maimónides, Avicena o Arnau de Vilanova, explican métodos, más o menos efectivos para evitar la concepción. Pero dice Alfred Savuy que, aunque se difundieron, no los utilizaron precisamente quienes más los necesitaban. Suponemos que tampoco pudieron difundirse mucho en un tiempo en que poca gente sabía leer.

La literatura no fue nada, desde el punto de vista divulgativo, hasta que la Revolución científica del siglo XVII inventó las revistas, cuya finalidad, como dijimos anteriormente, fue dinamizar la información, renovarla periódicamente y hacerla más asequible que los libros. Sin embargo, en los Estados Unidos, no se empezaron a publicar métodos de control en las revistas médicas hasta la década de 1880. Muchos médicos se opusieron, tildando el control de infanticidio indirecto, onanismo conyugal o fraude sexual. También en Inglaterra, en 1904, la Sociedad Ginecológica Británica declaró que los métodos de protección, como preservativos, diafragmas y demás, causaban vaginitis purulenta y que el coito interrumpido, llamado onanismo sexual, producía fatiga cerebral. Recordemos que, en España, todavía en los años cincuenta, la literatura supuestamente científica que divulgaba asuntos sexuales para matrimonios, aseguraba que la masturbación podía causar quebrantamiento nervioso.

En 1823, un político inglés radical reformista llamado Francis Place publicó numerosos panfletos sobre cuestiones sociales con ilustraciones y entre ellos, uno en el que recomendaba a las mujeres utilizar la esponja para absorber el semen. Aquella esponja que hemos visto en capítulos anteriores descrita en obras tan venerables como el *Talmud*. Este método, que consiste en introducir en la vagina una pequeña esponja empapada en una sustancia espermicida y atada a una cinta, fue reconocido como el más efectivo y, además, muy del gusto de las mujeres porque ponía en sus manos el control de la natalidad. Sin embargo, en aquella época de puritanismo expansivo, estos escritos recibieron la calificación de *Octavillas Diabólicas*.

En 1826, otro líder reformista inglés que se convirtió en periodista radical, Richard Carlile, publicó el primer libro sobre control de natalidad en Inglaterra, *El libro de todas las mujeres o Qué es el amor*, que describe métodos contraceptivos como la esponja para la mujer, el guante para el hombre y que recomienda lo que algunos autores han considerado un grave error, el coito interrumpido, es decir, la retirada total o parcial.

Pero ya a finales del siglo XIX, se anunciaban en Inglaterra anticonceptivos y abortivos, pasmándose los médicos irlandeses, católicos practicantes, ante la cantidad de aparatos, métodos, literatura que ofrecían las farmacias londinenses.

La publicidad y el uso de preservativos, diafragmas y pesarios redujo la natalidad drásticamente en la década de 1870, incluso en lugares de Europa donde no había disponibilidad de esos recursos, mientras que la Iglesia y los moralistas recomendaban exclusivamente el método de abstinencia periódica. En los Estados Unidos, este método fue la bandera de asociaciones como el Movimiento por la

Maternidad Voluntaria, encabezado por mujeres feministas o los grupos de sufragistas, para quienes la única forma de controlar el tamaño de la familia era abstenerse periódicamente de relaciones sexuales.

Para facilitar la abstinencia, las clases altas empezaron a utilizar camas separadas e incluso dormitorios diferentes. En algunos casos se creyó que esa separación serviría como anticonceptivo tan solo con que la mujer caminara de la cama del marido a la suya después del coito. Recordemos los métodos postcoitales, ya recomendados por los médicos de la Antigüedad, para la eliminación del semen a base de movimientos y ejercicios.

Sin embargo, hubo médicos que recordaron que la abstinencia prolongada es perjudicial y otros que la aconsejaron de forma periódica creyendo, tan equivocadamente como los seguidores de Empédocles, que igual que sucede con el celo de los animales, la mujer es más fértil después de la regla. Por tanto, la contención en esa etapa era un método natural de control de natalidad, hasta que se descubrió (todavía a falta de exactitud) que la ovulación se produce más o menos una semana después de la menstruación, lo que las feministas celebraron porque en tal caso, el método ponía de nuevo en manos de la mujer el control de la fertilidad. Para ellas, lo más importante era que la mujer se ocupara de la contracepción y no el hombre, pues si recaía sobre él, la mujer terminaría por convertirse en un objeto sexual.

El resultado de todos estos métodos fue, como era de esperar, un aumento considerable de la prostitución, un recurso siempre a mano para paliar déficits matrimoniales. Y el resultado de la utilización masiva de casas de lenocinio entre los hombres casados fue, como también era de esperar, la extensión de epidemias de enfermedades de transmisión sexual a finales del siglo XIX. Como respuesta, en 1888, un grupo de mujeres llamado Movimiento de Abstinencia Femenina creó un distintivo especial que solamente podrían lucir los hombres que asegurasen ser puros, una cinta blanca para la solapa. El objetivo de este movimiento fue elevar los valores masculinos al mismo nivel de pureza, como vemos, en que se hallaban los femeninos.

EL COITO IMPURO

La lucha en pro y en contra de los anticonceptivos ha tenido también sus mártires y sus conquistas. A partir del momento en que se descubrió la forma de transmisión de la sífilis, a través de un coito impuro, los enfermos se convirtieron en estigmatizados, ya que la enfermedad alcanzó la consideración de «merecida». Otro tanto sucedió con el SIDA ya en nuestro tiempo, como bien sabemos.

El coito impuro mediante el cual el pecador recibía el castigo de la sífilis era el practicado con una mujer impura, es decir, una ramera, por lo que quienes sufrían tal enfermedad no merecían recibir tratamiento médico ni tampoco protegerse contra la terrible dolencia. Así lo dispuso el papa León XII, prohibiendo el uso del preservativo en una encíclica fechada en 1826 que explicaba claramente que tales profilácticos obstaculizaban la justicia divina, según la cual, el pecador debía ser castigado en el mismo miembro con el que había cometido el pecado. Una sentencia que devolvió al mundo a los tiempos medievales, cuando las amenazas apocalípticas hacían temblar a los transgresores y el cadáver de don Rodrigo se quejaba desde su tumba de los ataques de la serpiente: «ya me come, ya me come, por do más pecado había».

A nadie se le ocurrió que, como sucedió con el SIDA tiempo después cuando se estigmatizó a los homosexuales varones, no era un castigo de la Providencia sino una enfermedad que no solamente se transmite vía sexual, sino mediante otras formas de contagio. Lo mismo ha sucedido durante siglos con la lepra, que ha marginado y convertido en tabú a quienes la padecían.

Los abanderados de la lucha contra el coito impuro lograron imponerse durante algún tiempo sobre los que preconizaban la razón, aunque la lógica consiguió alzarse con la victoria. En 1877, por ejemplo, tuvo lugar en Londres un juicio que se hizo mundialmente famoso, porque su motivo fue la guerra de la contracepción. Sus protagonistas fueron Charles Bradlaugh y Annie Besant, autores de una de aquellas obras asimiladas a las citadas *Octavillas Diabólicas*, un libro titulado *Folleto Knowlton* que no era más que un tratado sobre el control de natalidad que Charles Knowlton había publicado tiempo atrás y que también le costó la cárcel a causa de las denuncias y la presión del influyente político Anthony Comstok y de grupos puritanos y conservadores.

Charles Bradlaugh fue un político activista inglés del siglo XIX, famoso por su ateísmo, que escribió diversas obras encaminadas a poner en marcha un movimiento librepensador. En su tarea, contó con la colaboración de Annie Besant, una mujer divorciada de un pastor protestante que la había maltratado durante sus años de matrimonio. Cuando reeditaron el método de Charles Knowlton, los que se oponían al control de natalidad presentaron una denuncia y azuzaron a la policía, hasta lograr que un funcionario prohibiera la venta del

Este manuscrito inglés del siglo XIII muestra una ilustración de monjes recibiendo la bendición del obispo. Algunos autores aseguran que parecen afectados por la sífilis, aunque también pudiera ser la viruela.

libro, alegando que era una obra obscena. Los procesaron y se defendieron ellos mismos sin abogados y finalmente ganaron el pleito, porque si bien el libro fue declarado inmoral, sus defensores resultaron inocentes de los motivos corruptos de los que se les había acusado.

Charles Knowlton también sufrió en su día el acoso y tuvo que someterse a un proceso, cuando publicó su obra en la que recomendaba utilizar el irrigador vaginal después del coito, para destruir la propiedad fecundadora del esperma con agentes químicos. A mediados del XIX ya se vendían jeringas irrigadoras en farmacias, droguerías o por correo, pero muchas mujeres empleaban solamente agua fría. Knowlton aseguró que era imprescindible agregar un astringente o ácido como alumbre o vinagre, algo similar a lo que dos siglos atrás había recomendado Madame de Sevigné a su hija y que los antiguos conocían desde tiempos inmemoriales.

Sin embargo, las clases obreras siguieron encontrando dificultades para emplear el irrigador, porque precisaba un lugar íntimo, como el cuarto de baño del que no disponían. Eran tiempos de dormitorios compartidos con el resto de la familia y el baño se solucionaba con un barreño de latón en la cocina. Tampoco les resultaba fácil adquirir una jeringa para irrigarse con agua. Para ellos, el coito interrumpido producía el mismo efecto y resultaba mucho más barato y fácil de aplicar.

Pero como ya dijimos que la lógica terminó por alzarse con la victoria, el famoso juicio contra Charles Bradlaugh y Annie Besant sirvió para que todo el mundo conociera la existencia y el uso de los anticonceptivos, sobre todo la clase obrera, que pudo empezar a utilizarlos, en la medida de sus posibilidades.

THE BRADLAUGH-BESANT TRIAL.

A VERDICT AGAINST THE DEFENDANTS—
THE BOOK DECLARED IMMORAL, BUT
THE DEFENDANTS INNOCENT OF COR-
RUPT MOTIVES.

LONDON, June 21.—In the trial of Charles
Bradlaugh and Miss Annie Besant, for publishing a pamphlet alleged to be immoral, which was
commenced before Lord Chief-Justice Cockburn
and a special jury on Monday last, Mr. Bradlaugh to-day finished his defense. The Lord
Chief-Justice in his summing up said a more in-
judicious and ill-advised prosecution was never
brought into a court of justice, but if the jury
was of opinion that the book was calculated to
injure the public morals, then, however pure
and good was the intention of the defendants
in publishing the work, their duty was to find
them guilty.

The jury, after being out an hour and a half,
returned the following verdict: "We are of
opinion that the book is calculated to deprave
public morals, but we entirely exonerate the
defendants from a corrupt motive in publishing it."

Lord Chief Justice Cockburn said: "I di-
rect you upon that to find a verdict against
the defendants."

The prisoners were ordered to reappear to-
day week, in the meantime being allowed out
on bail.

The New York Times
Published: June 22, 1877
Copyright © The New York Times

El famoso jucio Bradlaugh-Besant se publicó el 22 de junio
de 1877 en el *New York Times*.

Annie Besant afirmó que el preservativo era un objeto «que utilizaban los hombres disolutos como protección contra la sífilis y que, ocasionalmente, se podía recomendar como preventivo de embarazos no deseados». Se anunciaron métodos anticonceptivos que las mujeres podían utilizar sin que el marido se enterase, poniendo toda la responsabilidad y control en manos de ella.

En el siglo XIX, cuando los médicos consiguieron enlazar la ovulación con los ciclos menstruales, la Iglesia no tuvo más remedio que aceptar el método del ritmo, pero la gente tampoco recibió la suficiente información para controlar la natalidad de forma autónoma, sino siempre supeditada al control médico. Cuando algunos médicos pretendieron divulgar información al respecto o explicar en publicaciones la forma de que cada familia se controlase por sí misma, los sectores contrarios a la limitación de los nacimientos volvieron al ataque señalando que cualquier método de control de natalidad era extremadamente peligroso, y tacharon de charlatanes a los que la defendían o la explicaban. Para ellos, el peligro mayor seguía siendo el libertinaje y la promiscuidad sexual, lo que llevó a declarar tabú, ya no solo a los métodos anticonceptivos individuales, sino a todo lo relacionado con la planificación familiar, de manera que muchos médicos, para no verse involucrados en algo considerado indecoroso, resolvieron obviar la contracepción.

Preservarse de la gordura fatal

Existen varios testimonios de que el preservativo se empezó a utilizar en el siglo XVIII no solamente como protector antivenéreo, sino también como anticonceptivo. El príncipe Charles-Joseph de

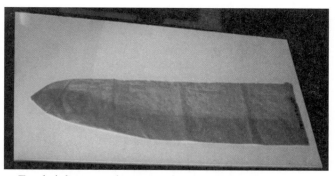

En el siglo XVIII, el preservativo se empezó a utilizar no solamente como protector frente a las enfermedades de transmisión sexual, sino como anticonceptivo e, incluso, en muchas ocasiones, exclusivamente con esta última función, sin que existiera o se temiera la posibilidad de contagio. Este condón data del año 1900.

Ligne, figura destacada de las letras francesas, cuenta en sus memorias que, en 1777, un médico de París llamado Guilbert de Préval le propuso probar un preservativo antivenéreo como anticonceptivo.

A principios del siglo XX, hacia 1919, un médico historiador que firmaba con el seudónimo de Rondibilis, nombre, por cierto utilizado por Rabelais para un personaje de su célebre *Pantagruel y Gargantúa*, publicó una obra sobre el origen del preservativo que, según él, había nacido en Inglaterra a principios del siglo XVIII y «con gran fortuna, por estar de moda en esa época las enfermedades galantes». Pero asegura este autor que los ingleses no solamente lo empleaban para protegerse de la «galantería», sino también para evitar la «gordura fatal».

También cuenta Rondibilis que el celebérrimo libertino y seductor Casanova había robado, el día de Todos los Santos de 1753, toda una provisión de preservativos que guardaba en su escritorio una monja de Venecia y que, a cambio, dejó una poesía en su lugar. Sin embargo, él mismo dice que más tarde lo pensó mejor y se arrepintió, porque aquellos artilugios eran sin duda preciosos para «una monja que quiere sacrificarse al amor» y devolvió los preservativos con gran alivio de la monja. Y es que ya el siglo anterior, el XVII, había puesto de moda la entrega de las monjas a amores no tan elevados como se les supone. Fue precisamente una monja portuguesa, Sor Mariana de Alcoforado, la que llenó de sensaciones mundanas el ámbito de los conventos con sus celebérrimas cartas de amor a un ingrato oficial francés de las tropas de Luis XIV. Hasta tal punto se extendió el eco de sus amores contrariados, que desde entonces se llamaron «portuguesas» a las cartas quejosas de mal de amor.

Del siglo XVIII, por tanto, tenemos el testimonio fehaciente de las memorias de Casanova, que dejan claro y sin lugar a dudas el lugar que desempeñó el preservativo como anticonceptivo, incluso, en ocasiones, más que como profiláctico. De hecho, los denomina «preservativos que los ingleses inventaron para poner el bello sexo al abrigo del temor», obviando su función principal que era la de proteger al hombre del contagio de venéreas.

Cuenta Casanova que, en una ocasión, visitó a «tres doncellas en un albergue» y que el síndico, muy eficiente, sacó del bolsillo un paquetito repleto de finos capotes ingleses, a los que dedicó un largo elogio como preventivos de accidentes. Es de suponer que el proxeneta se referiría tanto a un embarazo como a un contagio, porque las meretrices se pusieron muy contentas e instaron al visitante a que utilizara uno de ellos. Pero no fue así, porque Casanova, que no debía temer en absoluto el contagio y que entendió que la única preocupación de las jóvenes era el embarazo, se negó a ponerse «una piel muerta para probaros que estoy realmente vivo» y únicamente recurrió a sus famosas bolas de oro. Y dice también que retomó su labor al cabo de media hora de descanso, pero ya sin utilizar las bolas, sino después de haber dado su palabra de retirarse a tiempo. Este es un ejemplo claro del empleo (o del intento de empleo) del preservativo exclusivamente para evitar el embarazo, prescindiendo de posibles contagios.

POZOS DE PASIÓN

En los años cincuenta del siglo XX, la virginidad se puso de moda en los Estados Unidos, puede que como movimiento previo a la Revolución sexual de la década de los sesenta. Los jóvenes de ambos sexos se relacionaban psíquica y físicamente, pero siempre evitando la penetración, de manera que las jóvenes llegaban vírgenes al matrimonio.

Parece que todo empezó con la difusión de las técnicas sexuales orientales divulgadas por el *Kama Sutra*, cuya traducción al inglés se llevó a cabo en Inglaterra en 1883, pero su difusión fue absolutamente privada, porque su traductor, Sir Richard Burton, consintió únicamente en que los ejemplares traducidos circularan entre los caballeros socios de la *Kama Sutra British Society*. Por tanto, solamente llegó a publicarse en los Estados Unidos a finales de la década de los cincuenta, en el siglo XX, donde la obra fue muy bien recibida entre la juventud, que encontró fórmulas de satisfacción sexual sin penetración y juegos eróticos previos al coito.

Cuenta Jon Knowles que, en Nueva Inglaterra, las técnicas eróticas sin penetración tuvieron mucho éxito y difusión, debido a la costumbre de «encamarse», una costumbre heredada de las modas galantes del siglo XVII, muy difundida en países europeos como Inglaterra y Holanda, que consistía en que las damas invitaban a sus adoradores a encamarse con ellas para pasar un rato de conversación y manifestación de afecto amistoso.

Pero encamarse no suponía, ni mucho menos, realizar prácticas amatorias, sino que era un nuevo modo de practicar la amistad y la confianza en un lugar que igualaba a ambos interlocutores. Ambos se acostaban vestidos, aunque a veces la dama se quitaba las medias y los zapatos e incluso la parte superior del vestido, pero nunca se llegaba más allá de los besos y las caricias. El encamamiento no estaba reservado a las parejas, sino que muchos caballeros invitaban a veces a sus amigos íntimos a encamarse con sus esposas e hijas, como signo de afecto y confianza, algo así como cuando nuestras abuelas invitaban a un amigo a entrar en el gabinete íntimo o a cobijarse bajo las faldas de la mesa camilla.

En la Nueva Inglaterra colonial, según cuenta Jon Knowles, el encamamiento era la consecuencia de las largas distancias que tenían los novios que recorrer para encontrarse, junto con el frío y la falta de calefacción. Así, las parejas prometidas podían compartir la cama aunque siempre completamente vestidos y colocando entre ellos un tablero separatorio, otra costumbre heredada de los tiempos medievales del amor cortés, en que el caballero y su dama se acostaban juntos, desnudos, pero con una espada desenvainada entre ambos. Hay quien los ha considerado precursores de la reja andaluza.

Se suponía, ingenuamente, que los jóvenes no apurarían su relación y que se limitarían a juegos eróticos y tocamientos, pero lo cierto fue que, en el siglo XVIII, Nueva Inglaterra se vio desbordada por la cantidad de embarazos prematrimoniales, lo que llevó a los clérigos a denunciar tales costumbres.

A finales de los años cuarenta y durante los cincuenta, ya en el siglo XX, esta costumbre volvió con fuerza siguiendo la moda de la virginidad y los jóvenes, a falta de camas o mesas camillas en las que «encamarse», recurrieron al asiento trasero del automóvil, aquellos grandes automóviles de ocho cilindros, durante su visita a establecimientos *drive in*, como cines o restaurantes. Fueron los adolescentes norteamericanos de aquella época los que bautizaron los asientos traseros de los coches, tan poco románticos, con el novelesco nombre de «pozos de pasión».

LOS MITOS ANTICONDÓN

El siglo XIX, que ya dijimos que fue un largo escenario de luchas y debates entre partidarios y detractores del control de nacimientos, inició las campañas anticondón, con escritos en los que se hacía hincapié en su incomodidad y en su inseguridad. Los médicos recomendaron a las familias utilizarlo solamente en el caso de que el marido padeciera venéreas, con lo que se volvió a asociar a la prostitución y eso mismo le cerró la puerta a los hogares.

A mediados del siglo XIX, en 1861 y tras los enfrentamientos y debates que hemos citado anteriormente, apareció en los Estados Unidos la primera publicidad sobre el condón, un anunció publicado en el *New York Times* que promocionaba los «Condones franceses del doctor Power». Franceses, ya hemos dicho que cada país imputaba a otro la procedencia de las cosas de dudosa legitimidad.

Pero no duró mucho, porque enseguida se elevaron las voces airadas de los puritanos que consideraban la contracepción una transgresión de la ley de Dios y, el condón, un objeto sucio y obsceno, propio de submundos marginales en los que reinaban la lujuria y las enfermedades vergonzosas.

Y fue Anthony Comstok, el influyente congresista que antes citamos, quien consiguió que el Congreso aprobase una ley considerando ilegal la publicidad que incentivaba el control natal, logrando promulgar un Acta que quedó para la Historia conocida con el nombre de *Acta Comstok*, en la cual se prohibía no solamente la venta o la posesión de condones, sino, incluso, la mención de su nombre por escrito, por tratarse de un material obsceno, lascivo y ofensivo. Mucho más ofensivo y dañino que las armas de fuego que, como sabemos, se continuaron y se continúan vendiendo incluso por correo, sin grandes problemas.

Con ello, se proscribió el uso del correo para enviar tales materiales y se autorizó a las oficinas de Correos a confiscar los envíos prohibidos. Como resultado, se confiscaron 65.000 preservativos y hubo varios médicos que corrieron el riesgo de sufrir penas de encarcelamiento incluso de diez años de duración. Según Tania Izquierdo (del Centro Nacional de Ciencias Médicas de La Habana) y otros autores, esta legislación se mantuvo hasta 1965.

El resultado de esta prohibición, como era de esperar, se materializó durante la Primera Guerra Mundial, porque las tropas de los Estados Unidos fueron, con mucho, las que obtuvieron el mayor número de afectados de sífilis y otras venéreas, llegando a contabilizarse un 70 por ciento de soldados enfermos respecto al total de las tropas. El Secretario de Estado de la Marina era precisamente uno de de los muchos líderes militares que pensaban

Anthony Comstok, como influyente congresista consiguió que el Congreso de los Estados Unidos aprobase una ley considerando ilegal la publicidad que incentivaba el control natal. Logró no solo la prohibición de la venta o la posesión de condones, sino, incluso, la mención de su nombre por escrito, pues consideraba que se trataba de un material obsceno, lascivo y ofensivo.

que el preservativo era inmoral y poco cristiano, al contrario, como es lógico, que las armas.

Afortunadamente, tan desorbitada política tuvo sus disidentes y, mientras los líderes militares trataban de inculcar en las mentes de los soldados destinados a luchar en Europa que nada les protegería más que la continencia y la oración, un joven asistente del Secretario de Estado de la Marina, llamado Franklin Roosevelt, aprovechaba los momentos en que su jefe se ausentaba de la oficina para distribuir preservativos entre los marinos. Los repartía en forma de paquetes profilácticos que incluían pomadas, antisépticos y condones. Aquellos que alcanzaron la protección de quien más tarde sería presidente de los Estados Unidos debieron constituir ese 30 por ciento que no regresó a casa con una infección.

Algo aprendieron los norteamericanos de su experiencia de la Primera Guerra Mundial. Mientras los países aliados recomendaban a sus tropas preser-

varse de las muchas enfermedades que les amenaza-
ban repartiéndoles condones y medicamentos, los
soldados estadounidenses partían con recomendaciones de abstención y rechazo a los pecados carnales.
En 1935, ya había en el país una producción diaria
de condones de millón y medio de unidades. La
tecnología para su fabricación continuó mejorando,
se simplificó la fabricación del látex, la producción
de preservativos se automatizó y el producto se hizo
más barato, elástico, delgado y seguro.

Pero esto fue en 1935 y ya dijimos que la
asociación del preservativo con el libertinaje y la
legislación anticondón se mantuvieron hasta los
años sesenta. En otros países, como Suecia,
también el condón había quedado proscrito a principios del siglo XX, pero en la década de 1920, se
habían conseguido derogar las leyes anticondón.
En los Estados Unidos, no obstante, los médicos
tuvieron autorización para recetar condones a los
hombres, con el fin de prevenir el contagio de sífilis y gonorrea, pero no tuvieron la misma libertad
para recetarlo a las mujeres como método anticonceptivo. El condón seguía representando un intento
inmoral de interferir con las leyes de Dios y de la
Naturaleza y continuaba asociado al libertinaje.
Cuenta Jesús María Garza Cantú, médico de planificación familiar de Monterrey, que, en la década
de los 90, cuando el mundo se aterraba ante la
nueva amenaza mundial del SIDA, surgieron
nuevas campañas anticondón que distorsionaron
los datos científicos disponibles para divulgar tres
peligrosos mitos encaminados a conseguir el
rechazo popular al uso de tan detestable artilugio y
que, según asegura este autor, han influido en las
políticas de diversos países respecto a la distribu-
ción de preservativos.

El primero de los mitos viene a decir que la habituación a oír y pronunciar el nombre del condón es suficiente para que la gente se vuelva sexualmente promiscua. El segundo mito asegura que el virus del SIDA se filtra a través de los poros microscópicos del preservativo, por lo que su protección resulta insuficiente y engañosa. El tercero viene a culpar al condón del cáncer cervical.

El primero no precisa comentarios. El segundo mito fue objeto de experimentación y arrojó como resultado la inmunidad para quienes emplean el preservativo y, además, lo emplean bien, y el contagio para quienes no lo emplean o lo emplean mal. El virus del VIH tiene un tamaño muy superior al del poro que pueda presentar la superficie del preservativo, por lo que no tiene la posibilidad de traspasarlo. Los que se oponen al uso del condón, asegura este autor, han manipulado los resultados de pruebas defectuosas de laboratorio para crear la duda entre el público acerca de la efectividad del preservativo contra el virus del SIDA. Por ejemplo, un estudio dedujo erróneamente que los condones de látex permitían el paso del virus del VIH, sin tener en cuenta que ese estudio se había realizado para hacer pruebas y en él se utilizaron partículas 100 millones de veces más pequeñas que las partículas del virus del SIDA que se encuentran en el semen. De hecho, el riesgo de la transmisión del SIDA a través de un condón se reduce hasta 10.000 veces.

El tercero de los mitos se cae por su peso porque el cáncer cérvico uterino se relaciona, como señala este autor, con una familia de virus. Por tanto, el uso del preservativo más bien puede evitarlo que causarlo.

Póngaselo antes de meterla

El preservativo resultó finalmente vencedor de todas las campañas que los puritanos lanzaron y continúan lanzando en su contra. Un día se irguió triunfante y se infló con orgullo en manos tan autorizadas como las de la Organización Mundial de la Salud.

Margaret Sanger, la enfermera norteamericana que acuñó la expresión Planificación Familiar y a la que anteriormente vimos trabajando activamente por el control de la natalidad, trató de conseguir una legislación que autorizara a las mujeres a utilizar preservativos como método de control de la natalidad. Recordemos que, en aquellos días, los médicos los prescribían a los pacientes masculinos para evitar el contagio de enfermedades venéreas, dentro o fuera del matrimonio, sin embargo, las mujeres no tenían el derecho a emplearlos para evitar el embarazo.

El gobierno Nazi prohibió, por cierto, tajantemente el uso de preservativos o de cualquier otro tipo de métodos anticonceptivos, porque tales procedimientos impedían la expansión de «una raza superior», la raza aria. No obstante, el ejército nazi sí permitió el uso del preservativo durante la Segunda Guerra Mundial, para evitar que las tropas contrajeran la gonorrea o la sífilis.

Una de las secuelas de la Primera Guerra Mundial fue, como hemos dicho, la infección de cientos de miles de soldados con enfermedades de transmisión sexual y no solamente se contagiaron los norteamericanos por seguir aquel lema disparatado de ejercer la castidad, sino también en toda Europa. En Francia, por ejemplo, la disminución de la población, que ya se venía produciendo desde el siglo XIX, adquirió niveles tan dramáticos

A pesar de las muchas campañas en su contra, el condón ha recibido el reconocimiento y beneplácito oficial de gobiernos e instituciones, principalmente de quien debía recibirlos, la Organización Mundial de la Salud. Hoy en día se realizan campañas oficiales de prevención en las que se recomienda el uso del preservativo.

que el doctor Louis Le Pileur escribió que la castidad es como la paz, algo que todos deseamos pero que no llevamos a cabo. Lo más trágico llegó en 1916, cuando los gobiernos tuvieron que reconocer que las tasas de sífilis habían aumentado entre las mujeres casadas, contagiadas por los militares.

Así, pues, cuando llegó la Segunda Guerra Mundial, los líderes militares norteamericanos tuvieron una actitud más realista acerca de los condones. Conscientes de que, si no prevenían las enfermedades venéreas, los costos de salud pública iban a aumentar espectacularmente y las enfermedades a extenderse por el país cuando regresaran los combatientes, hicieron campañas publicitarias totalmente opuestas a las de la Primera Guerra Mundial, campañas agresivas que incluyeron películas educativas y lemas como «¡No lo olvides! ¡Póntelo antes de que te contagien!» O bien «¡Póngaselo primero, antes de meterla!».

En los foros y blogs de Internet circula una buena cantidad de historias relativas a la utilización de preservativos durante la Segunda Guerra Mundial. Por ejemplo se cuenta que, en 1942, durante el desembarco en Dunkerque, algunos soldados emplearon los preservativos para proteger los fusiles del agua. Otra de las historias narra la idea de un estratega norteamericano, que aconsejó arrojar sobre las líneas enemigas preservativos del mayor tamaño posible, embalados en cajas de tamaño mediano o pequeño. Su objetivo, según dicen, era desanimar a los japoneses.

LA MUERTE DEL CONDÓN

Antes de que su popularidad alcanzara elevadísimas cotas y de que le fuera concedido el reconocimiento mundial de que hoy goza, el condón hubo de sufrir, como todos los mitos religiosos antiguos, la muerte y la resurrección.

Murió en la década de 1960, con la Revolución sexual y, sobre todo, con la penicilina. La Revolución sexual lo mató porque puso de moda el amor libre y sin límites, cuando ya las chicas «buenas» dejaron de distinguirse de las «malas» y todas se atrevieron a hacer el amor por igual. Entonces decayó la prostitución, que tantos ardores venía aliviando y tantas tareas eróticas incompletas y sin resolver venía completando, y, con ella, decayó el uso del condón. Ya no había peligro de infección, porque las hijas de familia estaban «limpias» y no contagiaban. Además, tampoco había problemas de embarazos no deseados, porque la píldora anovulatoria y los dispositivos intrauterinos DIU llegaban a todas o a casi todas las mujeres.

En cuanto a los problemas de infección, si se daban, para eso estaba la penicilina, comercializada recientemente y que ofrecía un tratamiento definitivo contra la gonorrea y la sífilis. Y ¿quién necesitaba un condón habiendo penicilina?

LA PESTE DEL SIGLO XX

El mercado del condón se contrajo notablemente a partir de los sesenta. Se puede decir que murió, aunque, en los ochenta, los fabricantes intentaron renovar su arsenal y volver a ponerlo en circulación, aderezándolo con nuevos ingredientes, como aromas, sabores, texturas y otras cualidades,

Los años sesenta mataron al condón, al relegarlo por innecesario, ya que la Revolución sexual supuso el boom del amor libre, mientras que la píldora y el DIU liberaron a las mujeres de embarazos no deseados. Además, la amenaza del contagio desapareció con la penicilina, que Fleming descubrió en 1929 y que se comercializó masivamente durante la Segunda Guerra Mundial.

sin que tales atractivos supusieran un mayor impacto.

La plaga del siglo XX, el SIDA, al menos en cuanto a su cepa más extendida, no inició su expansión en el siglo XX. Al principio, se pensó que la pandemia había empezado en la década los treinta, pero un estudio posterior de la Universidad de Arizona, publicado por la revista *Nature*, indicó que ya existía desde finales del siglo XIX. La revista médica *Jano* publicó en su edición del 2 de octubre de 2008 la noticia de que la enfermedad había empezado a expandirse entre los seres humanos entre 1884 y 1924.

Así supimos que la etapa más temprana del origen de esta cepa del VIH había coincidido con el establecimiento de los primeros centros urbanos en la región centro-occidental de África.

Pero eso lo sabemos desde hace poco. En realidad, la primera noticia que se difundió en el mundo occidental sobre la existencia de un síndrome que desactivaba todos los dispositivos inmunológicos del enfermo y lo dejaba inerme ante cualquier enfermedad, llegó en la década de los ochenta, procedente de los Estados Unidos.

Efectivamente, el 5 de junio de 1981, el mundo tembló ante la perspectiva de una nueva y desconocida amenaza. Cinco jóvenes norteamericanos habían enfermado de un tipo de pulmonía y habían fallecido porque su sistema inmunológico no había respondido al ataque de un agente patógeno, al que prácticamente todo el mundo se ha expuesto alguna vez sin consecuencias mayores. Estos jóvenes, además, estaban sanos y fuertes y ninguno de ellos había padecido antes una enfermedad similar.

Pero los cinco jóvenes tenían una característica común que puso de nuevo en pie los movi-

En los años ochenta, la difusión del SIDA hizo necesaria
la vuelta del condón, pero su resurrección no fue
inmediata, pese a los esfuerzos de los fabricantes por
aderezarlos con nuevos ingredientes. Aún faltaba el
esfuerzo publicitario de las instituciones.

mientos moralizantes de todos los tiempos y quiso
que el mundo regresara a etapas apocalípticas. Los
cinco eran homosexuales. Para ciertos sectores
sociales, especialmente, religiosos, la nueva enfermedad, la carencia de defensas frente a las invasio-
nes patógenas era un castigo divino por su vida de
pecado.

Más tarde se supo que también habían enfermado otros colectivos, tanto homosexuales como
heterosexuales y tanto varones como mujeres: dro-
gadictos que se inyectaban sustancias, hemofílicos
que habían recibido transfusiones de sangre, mujeres
cuyas parejas eran bisexuales e incluso niños nacidos de personas que reunían alguna de las anteriores
características.

Los que habían lanzado un suspiro de alivio al
conocer que la nueva enfermedad atacaba a los
homosexuales y que, por tanto, a ellos jamás les iba
a afectar, volvieron a horrorizarse al ver crecer el
número de condiciones y, con ello, de posibilidades

de contagiarse. Ya no era solamente un castigo de la divinidad a personas de conducta irregular, sino que afectaba a criaturas inocentes, a madres de familia y a personas de vida absolutamente regular. Era la peste del siglo XX.

En 1981, los Estados Unidos había denunciado la muerte de 128 personas a causa del síndrome de inmunodeficiencia adquirido, al que en 1982 se llamó SIDA en español o AIDS en inglés. Antes, le habían dado el nombre de *gay cancer*, algo así como el cáncer de los homosexuales. En 1983, el Instituto Pasteur de París, consiguió localizar el virus de inmunodeficiencia humana (VIH). En 1988, después de que el presidente de los Estados Unidos, Donald Reagan, se decidiera a pronunciar por primera vez el nombre de la enfermedad, tuvieron que prohibir la discriminación sufrida por los empleados públicos que la padecían (Víctor Alonso, *el SIDA:historia*).

En 2005, se produjeron alrededor de 5 millones de infecciones en todo el mundo y murieron unas 3 millones de personas a causa del SIDA. Desde 1981, en que se conoció su existencia, han muerto más de 35 millones de personas.

Las autoridades de los países desarrollados supieron desde el principio, desde los años ochenta, que la única forma de parar el avance inexorable de esta plaga era volver a los viejos tiempos del condón. Igual que pasó en el siglo XVI, cuando se describió la sífilis, que lo mismo que el SIDA existía desde mucho tiempo atrás, los médicos empezaron a recomendar protegerse contra la infección, de la misma manera, en el siglo XX volvieron a la carga los moralistas destructores que trataron, como en el Renacimiento, de igualar la enfermedad al pecado y el preservativo a la abyección.

La Iglesia del siglo XX y la del siglo XXI reaccionó igual que la del siglo XVI y XVII, negando a los

En los años 90, el preservativo recibió el reconocimiento
oficial. En diciembre de 2005, el obelisco de Buenos Aires
amaneció forrado con un inmenso condón de color rosa. Se
celebraba Día Internacional de la Lucha Contra el Sida y,
con él, la resurrección de un profiláctico
que jamás debió morir.

pecadores la salvaguarda del condón, porque si pecan no merecen salvar el cuerpo. Ya sabemos que lo que le interesa a Dios es el alma. La prevención del contagio, tan mortal como lo fuera el de la sífilis en el Renacimiento, es la castidad, aquella castidad de la que el doctor Pileur dijo que, al igual que la paz, todos la deseamos pero nadie la pone en práctica.

Por fortuna, los científicos, que nada tienen que ver con interpretaciones morales subjetivas ni con malentendidos místicos, han continuado sus tenaces investigaciones y, por ahora, el resultado parece ser la luz al final del túnel. La revista médica *Jano* publicó el 26 de noviembre de 2008 la siguiente excelente noticia que aporta un modelo matemático de experimentación: en el año 2020, tan solo con una prueba voluntaria universal y, en caso de diagnóstico positivo, una terapia antirretroviral, se llegaría a disminuir la transmisión del VIH hasta el punto de acabar con una epidemia como la que afecta a Sudáfrica. Es decir, en caso de epidemia generalizada, dentro de diez años será posible reducir los casos de VIH del 20 por 1.000 a solo el 1 por 1.000, si se llevan a cabo las tres medidas: prueba, diagnóstico y terapia.

EL CONDÓN HA RESUCITADO. PÓNTELO, PÓNSELO

En la década de los 90 se introdujeron en el mercado numerosos y diferentes tipos de condones. El 29 de noviembre de 1991, el Boletín Oficial del Estado publicó las condiciones técnico —sanitarias que debían reunir los condones, considerados productos sanitarios, para su comercialización en España—. Las especificaciones correspondían a la norma UNE 53-625-89.

Estos y otros muchos productos, que incluyen juguetes eróticos, vibradores, antifaces, cadenas de placer, constituyen el contenido que la vendedora de Tupper Sex, la Chica de la Maleta Roja, ofrece a sus clientas en reuniones concertadas de amigas.

Pronto aparecieron los condones de poliuretano, para evitar las temidas alergias. Más tarde, empezaron a encontrarse en supermercados, droguerías, máquinas dispensadoras, bares, farmacias y en muchos lugares públicos. Aparecieron preservativos lubricados, recubiertos de espermicida, muy sensibles, menos sensibles, delgados, muy delgados, extra resistentes, de colores, rugosos, con alitas, de resina sintética e hipoalérgicos, con sabores[13] a menta, vainilla, piña colada, para mujeres y para sexo oral, cortos, largos, gruesos. En España, la publicidad oficial recordó aquella de la Segunda Guerra Mundial: «Póntelo, pónselo».

El condón recibió finalmente el reconocimiento oficial de las instituciones. Por iniciativa del gobierno de la ciudad de Buenos Aires, el 1 de diciembre de 2005, se celebró el Día Internacional

---

[13] En realidad, el sabor de los preservativos no es más que olor. Es el olfato el que les da el efecto sabor.

de la Lucha Contra el Sida revistiendo el obelisco, que es símbolo de la ciudad, con un rosado preservativo de 67 metros. Y se lanzó un nuevo lema para el uso del condón: «No lo dudes, cuídate. Yo me cuido».

En otros países, como Brasil, el gobierno se anticipó a las fiestas de los famosísimos carnavales de 2008 repartiendo gratuitamente 19 millones y medio de preservativos. Las revistas de los países desarrollados, como *The Lancet*, en Inglaterra, denunciaron la postura del Vaticano que difunde enseñanzas contrarias al empleo del condón, lo que deja a los creyentes inmunes ante el contagio.

Las polémicas y controversias en torno al empleo del preservativo incluyen análisis y estudios que arrojan resultados tan contradictorios como el del libro *The Invisible Cure*, de Helen Epstein, que critica el exceso de confianza en el preservativo para evitar el SIDA. Al fin y al cabo, lo que realmente puede prevenir enfermedades es la educación sexual, ya que, en numerosos países africanos, es corriente que tanto los hombres como las mujeres mantengan relaciones sexuales concurrentes, es decir, con varias parejas a la vez y eso aumenta el riesgo de contagio no solamente de enfermedades de transmisión sexual, sino de enfermedades que se contagian mediante el contacto.

Podríamos decir con Casanova, mejor que nada…

La chica de la maleta roja

Mientras el mundo espera la comercialización masiva de los nuevos preservativos invisibles, los que se están ya probando con éxito en animales y que están constituidos por una gelatina con anticuerpos contra el SIDA, el mundo empresarial de la venta de productos en amigables reuniones de señoras, ha lanzado hace ya algún tiempo a su nueva vendedora, la chica de la maleta roja,

La chica de la maleta roja vende Tupper Sex igual que las vendedoras de Avon, Stanhome o Tupper vendieron y siguen vendiendo cosméticos, productos de limpieza o de cocina mediante reuniones y merendolas en el domicilio de amas de casa que hacen de vehículo para la venta. Tupper Sex es toda una gama de vibradores, condones, bolas chinas, juegos y juguetes eróticos y otros productos de índole amatoria, con la diferencia de que las ganancias de la vendedora sobrepasan fácilmente los mil euros.

Estas reuniones se preparan con grupos de amigas y conocidas, incluso en grupos mixtos, en casa de una anfitriona, que puede ser o no clienta, donde la organizadora realiza una demostración del empleo y de las calidades de los productos que distribuye en la maleta roja. La demostración incluye explicaciones sobre el momento y la forma adecuada de utilizar los productos, que los asistentes a la reunión pueden ver y tocar, así como plantear toda clase de dudas y preguntas.

Es la forma más *chic* de adquirir no solamente preservativos, sino objetos que proporcionan placer o que responden a fantasías sexuales de cada uno o de su pareja. La maleta roja contiene vibradores de diferentes modos de acción, antifaces, disfraces, cadenas de placer, tangas vibradores, masajeadores, cojines de amor, juegos de bolas excitantes vaginales o anales, y, muchos, muchos condones con olores, colores y sabores. No hay que olvidarse de él. Ya no es una protección contra las enfermedades venéreas, es un objeto más de placer y de lujo, como aquellos embalados en primorosas cajitas de cristal con cintas de terciopelo y seda que utilizaron los elegantes del siglo XVIII.

Bibliografía

AGULLES SIMÓ, P. *La objeción de conciencia farmacéutica en España*. Roma: Edizioni Università Santa Croce, 2006.

ANGULO CUESTA, J. *Diversidad y sentido de las representaciones masculinas fálicas paleolíticas en Europa occidental. Actas urológicas españolas marzo 2006.* Servicio de Urología, Hospital Universitario de Getafe, y García Díez, M., Departamento de Geografía, Prehistoria y Arqueología de la Universidad del País Vasco, Vitoria. Madrid, 2006.

ARJONA CASTRO, A. *Sexualidad en la España musulmana*. Diputación Provincial de Córdoba, 1990.

BISHOP, C. *Sexo y espíritu*. Barcelona: Editorial Debate, 1996.

BLÁZQUEZ MARTÍNEZ, J. M. *Los anticonceptivos en la Antigüedad Clásica.* Biblioteca Virtual Miguel de Cervantes.

CABALLERO NAVAS, C. *Un capítulo sobre mujeres, The Welcome Trust Centre for the History of Medicine at UCL.* Edición en línea.

CASANOVA, Giacomo G.. *Breviario.* Edición de Jaime Rosal. Barcelona, 1998.

COLLIER, Aine, *The humble little condom.* Nueva York: Prometheus Books, 2007.

CUNQUEIRO, Álvaro. *Tertulia de boticas prodigiosas y Escuela de curanderos.* Biblioteca Virtual Miguel de Cervantes.

DÍAZ ALONSO, G. *Historia de la anticoncepción.* Centro Nacional de Información de Ciencias Médicas de la Habana. Edición en línea.

FERNÁNDEZ ÁLVAREZ, G. *Control de la natalidad: enfoque por diferentes épocas y culturas,* Universidad Virtual de Salud de Cuba. Edición en línea.

FERNÁNDEZ DE MORATÍN, N. *Arte de las putas.* Biblioteca Virtual Miguel de Cervantes.

GARZA CANTÚ, J. M., *Historia del condón.* Planned Parenthood Federation of America Inc. Texto en línea.

GÓMEZ CAAMAÑO, J. L. *Páginas de historia de la Farmacia.* Barcelona: Sociedad Nestlé A.E.P.A., 1970.

Gracia Guillén, D. *Medicina Antigua: cuatro libros de medicina: Codex Vindobonensis*, Madrid: Ediciones de Arte y Bibliofilia, 1985.

Husain, S. *La diosa*. Barcelona: Editorial Debate-Círculo de Lectores, 1997.

Jacquart, D. y Thomasset, C. *Sexualidad y saber médico en la Edad Media*. Barcelona: Editorial Labor, 1989.

Jinarajadas, C. *Breve biografía de la Dra. Annie Besant*. Biblioteca Upasika, Sociedad Teosófica del Uruguay, 1981.

Knowles, J. *Historia de los métodos de control de la natalidad*. Nueva York: Biblioteca Katharine Dexter McCormick, Planned Parenthood Federation of America, 2006.

Laín Entralgo, P. *Historia Universal de la Medicina*. Barcelona: Salvat Editores, 1974.

Lo Duca. *Historia del erotismo*. Edición en línea.

Los admirables secretos de Alberto el Grande, traducción de Qzuplontini S.L.. Barcelona: Editorial Altafulla, 1982.

Maimónides. *El comentario a los aforismos de Hipócrates*. Córdoba: Ediciones El Almendro, 2004.

Malthus, T. *Primer ensayo sobre la población*. Edición en línea.

MARAÑÓN, Gregorio. *Tres ensayos sobre la vida sexual*. Madrid: Biblioteca Nueva, 1934.

MARTOS RUBIO, Ana. *Historia de la Psiquiatría*. Barcelona: Editorial Temispharma, 2002.

---. *Historia medieval del sexo y del erotismo*. Madrid: Nowtilus, 2008.

MCLAREN, Angus. *Historia de los anticonceptivos*. Madrid: Minerva Ediciones, 1993.

OVIDIO. *El arte de amar.* Madrid: Ediciones Ibéricas, 1965.

PANATI, Charles. *Las cosas nuestras de cada día*. Barcelona: Círculo de Lectores, 1987.

PARDO, Jesús. *Zapatos para el pie izquierdo*. Barcelona: Círculo de Lectores, 1998.

PARENTERAU-CARREAU, S. *Amor y sexo*. Barcelona: Ediciones Integral, 1989.

PLATÓN. *La República*. Buenos Aires: Editorial Offsetgrama, 1978.

POTENZIANI, J. y S. *Historia de las enfermedades venéreas*. Sociedad Venezolana de Historia de la Medicina. Texto en línea.

Publicazione Tesi Agulles. Edición en línea.

RÈGNIER, M. *Les Epistres et outres oeuvres de Regnier avec des remarques*. Londres: Lyon & Woodman, 1730.

REVERTE, J. M. *Las fronteras de la Medicina*. Texto en línea.

SÁNCHEZ GÓMEZ, R. *Historia del preservativo*. Córdoba: Ediciones Cúbicas, 1988.

SAVUY, A., Bergues, H. y RIQUET, M. *Historia del control de nacimientos*. Barcelona: Ediciones Península, 1972.

SOLDEVILLA, Fernando. *Madama de Sevigné. Cartas escogidas*. París: Garnier Hermanos, 1829.

STREET, Robert. *Técnicas sexuales modernas. Buenos Aires:* Editorial Paidós, 1970.

ZELDIN, T. *Historia íntima de la Humanidad*. Barcelona: Editorial Círculo de Lectores, 1994.